脳科学から紐解く
般若心経
自由と至福の脳科学

駒野宏人 著

セルバ出版

まえがき

般若心経を読んだのは、大学の学生だった頃です。何が書いてあるのだろうかと思い、とりあえず丸暗記して、時間のあるときにでも、どういう意味なのかと考えようとした記憶があります。

そして、そのまま般若心経について、特別勉強することも意識に留めることもなく、その後30年以上経ちましたが、いまだにそらで唱えることができるのは驚きです。

若い頃に覚えたものは、本当によく覚えています。その長い月日の間に、私は、生物学、生化学、分子生物学を中心に学び、今では脳科学を専門分野として研究や教育を行っています。科学の進歩はとても早く、本当に新しいことが次々と発見され興奮の日々でした。

また、一方で、若い頃からスピリチュアル（霊的なあるいは精神的なこと）なことにも興味があり、瞑想やヨガを続けていました。もちろん、ひと昔前だったら、瞑想やヨガの話をしたら、それだけで何か変な人という印象を受けていましたが、今では、その効果が科学的に示されるようになり、逆に流行になったりしています。

最初、訳もわからず丸暗記したときからほぼ30年以上経ち、久々にあらためて般若心経を読み返してみると、「これは脳科学の話だ！」という印象でした。科学もほとんどなかった時代に洞察された人間の知覚や思考についての話だったのです。表現こそ異なりますが、脳科学で明らかにされたことと類似したことが多く書かれていて科学的に納得がいきます。

一方で、般若心経の最後は、真言（マントラ）の力の神秘的な話で終わります。マントラを唱えれば、涅槃に到達するということです。この部分は、スピリチュアルな印象を受けますが、瞑想をずっと続けてきた筆者からすると、体験的に納得できるのです。しかも、この涅槃という脳の状態も脳科学で明らかになりつつあります。現在、かつて非科学的といわれていた精神世界の話が科学の言葉で説明できるようになってきたのです。

仏教やキリスト教などの宗教が生まれた時代は、「宇宙」や「地球は丸い」「地球が太陽の周りを回っている」ことも、「体が細胞できている」ことも、「脳」や「遺伝」ことなど、まったくわからなかった時代に生まれたものです。

といっても、人類の歴史がほぼ20万年ですから、それからすると、宗教が生まれた約2000年前も、科学が飛躍的に進歩したここ100年も、どちらもつい最近の出来事で、この2つはほとんど同時期に生まれたといってもいいかもしれません。

その意味で、科学と宗教とを分ける必要はなく、1人の開祖の洞察によって得られた宗教と、人間の集団の叡智の蓄積である科学を統合した理解が、より現代人の救いや人間の理解につながるのではないかと思うのです。

本書の内容は、私の現時点での脳科学や科学の知識、あるいは、ヨガ・瞑想の体験、そしてコーチングの学びと実践を踏まえて、般若心経を読んでみると「こう見える」という1つの解釈です。

これが宗教や精神的なことと現代科学との統合的な理解のきっかけとなればと思い、本著を執筆しました。また、それだけではなく、実際に悩みや不安を抱えている読者の心の解放に役立てれば幸いに思います。

駒野　宏人

2021年11月

般若心経についてその背景の概要

本文の理解のために、はじめに般若心経の生まれた背景について概要を少し述べておきたいと思います。

まず般若心経が書かれたのは、4〜5世紀頃と言われ、お釈迦様（ゴーダマシッダールタ）（紀元前5〜4世紀）没後の作品と言われています。つまり般若心経は、仏教の創始者であるお釈迦様の作ではないのです。作者は不明ですが、大乗仏教の教えの1つと言われています。

仏教は、お釈迦様没後、自分の悟りのための自己鍛錬を目指す上座仏教と人々の救済を目指す大乗仏教に分かれ、前者は、ミャンマー、タイなどの南方に伝わり、後者は中国、朝鮮、日本と北の方に伝わっていきました。

般若心経は、大乗仏教の教えの1つで、二世紀に生まれた龍樹（ナーガールジュナ）という僧が説いた空の思想の影響を受けていると考えられています。

詳細については、さまざまな専門家の本がありますので、それを参照していただきたく思います。

脳科学から紐解く般若心経――自由と至福の脳科学　目次

第4章　気づきによって出来事を変えられる：メタ認知革命

第5章　出来事を超えた世界：涅槃と悟り

第1章　世界は物ではなく、出来事からできている
――私たちは永遠であり、奇跡的な存在

【原文】

摩訶般若波羅蜜多心経

観自在菩薩　行深般若波羅蜜多時
照見五蘊皆空　度一切苦厄
舎利子　色不異空　空不異色
色即是空　空即是色
受想行識　亦復如是
舎利子　是諸法空相
不生不滅　不垢不浄　不増不減

【一般的な解釈】

偉大なる智慧の完成に至る心髄を説いたお経

「聖なる観自在菩薩が、深遠な般若波羅蜜多（智慧の完成）の行を実践したときに、この世は5つの要素に分類されるが、その本質が空（実体がない）であると見た。そして一切の苦しみや厄を超えたのである。

舎利子よ。この世の「物質要素」（色）は、実体がなく（空性）、実体がないのが「物質要素」である。

「物質要素」は「実体がないという状態」（空性）と別ものでなく、「実体がないという状態」も「物質要素」と別ものではない。人間の4つの心の働き（感覚、知覚、衝動そして意識）についても、「物質要素」（色）と全く同じことがいえる。

舎利子よ。この世のすべての存在要素（法）の特性は、「実体がないという状態」である。

それらは起こってくることもなく、消滅することもない。汚れることもなく、清らかになることもない。減ることもなく、増えることもない。

1　お釈迦様が考えた世界と般若心経

五蘊（ごうん）から成る世界

科学がほとんどなかった時代では、この世の中の世界は、神秘に満ちていたに違いありません。想像してみてください。空の太陽や、夜見える月や星、そして時々くる台風や地震などの天災、そして色々な生物、何もかも神秘だらけです。

今の時代でも、まだ何も知らない子どもたちにとっては、毎日出会う世界が神秘に満ち溢れています。お釈迦様の生まれた時代も、こんな世界だったように思います。そんな時代に、お釈迦様は「私たちがどのような存在なのか、どうして苦しみがあるのか」を考えたのです。

お釈迦様は、私たちの世界は五蘊（ごうん）から成っていると考えたのです（図表1）。すなわち、「色」が外界の世界で、「受」は感覚器官、「想」はイメージ、「行」は意思作用、「識」は、今でいう記憶です。

外界を、私たちの感覚器官を通して感じ、それが頭の中でイメージとなり、意識が働き、行動となります。そして、その感覚やイメージは、記憶として貯蔵されていきます。これは言葉こそ異なりますが、まさに今の科学で明らかにしたものとほぼ同じことをいっています。詳細は2〜3章で述べていきますが、お釈迦様の洞察力には驚かされます。

般若心経が説いたこと

「まえがき」で述べましたように、般若心経は、お釈迦様没後に書かれたものであって、お釈迦様の作品ではなく、作者は今のところはっきりしていません。この時代に発展した大乗仏教の教えでは、このお釈迦様の教えを空の視点から否定しています。あるいは、バージョンアップしたという表現のほうが適切かもしれません。

お釈迦様の説いた世界のありようを、般若心経では、色も受・想・行・識も空（実体がない）であり、また、実体のないものが色であり、受・想・行・識そのものだといっているのです。つまり、この世のものは、すべて実体のないものであり、私たちの認識すらも実体がないと説いています。

では、まず、この世界について現代科学では、どのようなことがわかってきたのか、私なりの理解で説明したいと思います。

【図表１　五蘊（ごうん）とは】

五蘊《ごうん》

色・・・認識される側全部（物質・存在）

受・・・感覚器官

想・・・イメージ

行・・・意思作用

識・・・知識、経験、認識

2　私たちの体は空間だらけ：最小部品は大きさがゼロ

量子力学から見た人間の体

私は小さい頃、夜空の星を見上げて「宇宙は広いな～。自分という存在はなんてちっぽけなんだろう」と感じたことがありました。その後、大学に入り、生化学や分子生物学、あるいは量子力学を学んで感じるのは、私たちはとても大きい存在だということです（図表２）。

私たちの身体は、細胞でき、細胞の中には、分子をつくったり運んだりする細胞内小器官という工場のような器官があります。さらにそれらも分子ででき、分子はさらに原子からでき、原子は原子核とその周りを回っている電子からできているという具合です。

原子（１ミリメートルの１０００万の１）の大きさを東京ドームとすると、原子核マウンドに置かれた１円玉くらいの大きさで、原子はすかすかの空間だらけなのです。さらに原子核は陽子と中性子という粒子からできていて、これらは「アップクオーク」「ダウンクオーク」という素粒子からできています。

【図表２　私たちの世界（ホロン構造）】

私たちの世界
（ホロン構造）

↑

太陽系
｜
地球（半径～6.4×10^{9}㎜）
｜
社会
｜
人体（～1700㎜）
｜
組織・器官
｜
細胞（～100分の１㎜）
｜
細胞内小器官
｜
分子
｜
原子（～1000万分の１㎜）
｜
陽子・電子・中性子
｜
素粒子（ニュートリノ）

↓

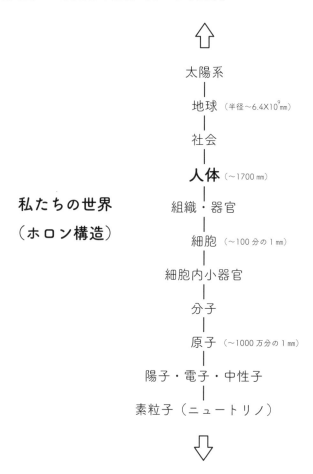

素粒子とは、これ以上分割できない最小の部品のことですが、素粒子は大きさがゼロと考えられています。原子核の周りにある電子も素粒子と言われています。

素粒子の性質（波動性と粒子性）

素粒子の世界になると理解しにくい性質が現れます。素粒子は、波動性と粒子性があるのです。観測していないときは、存在確率で表せるように同時に色々なところに存在しているのです。これが波動性です。

ところが、観測すると（正確には光子を当てると）、存在は1か所に集まり、今度は物質（粒子）として振る舞うのです（図表3）。これも原子くらいの質量になると物質としての性質しか観測できなくなります。

これは原子以上の質量の物質も、素粒子と同じように色々なところに存在しているのですが、そのくらいの質量になると、色々なところがほぼ同じ場所付近になって存在しているという意味です。

ここでは詳述しませんが、存在確率を示す波動方程式があって、これによると質量が重いと存在する位置がほぼ同じところになります。

【図表３　量子の波動性と粒子性】

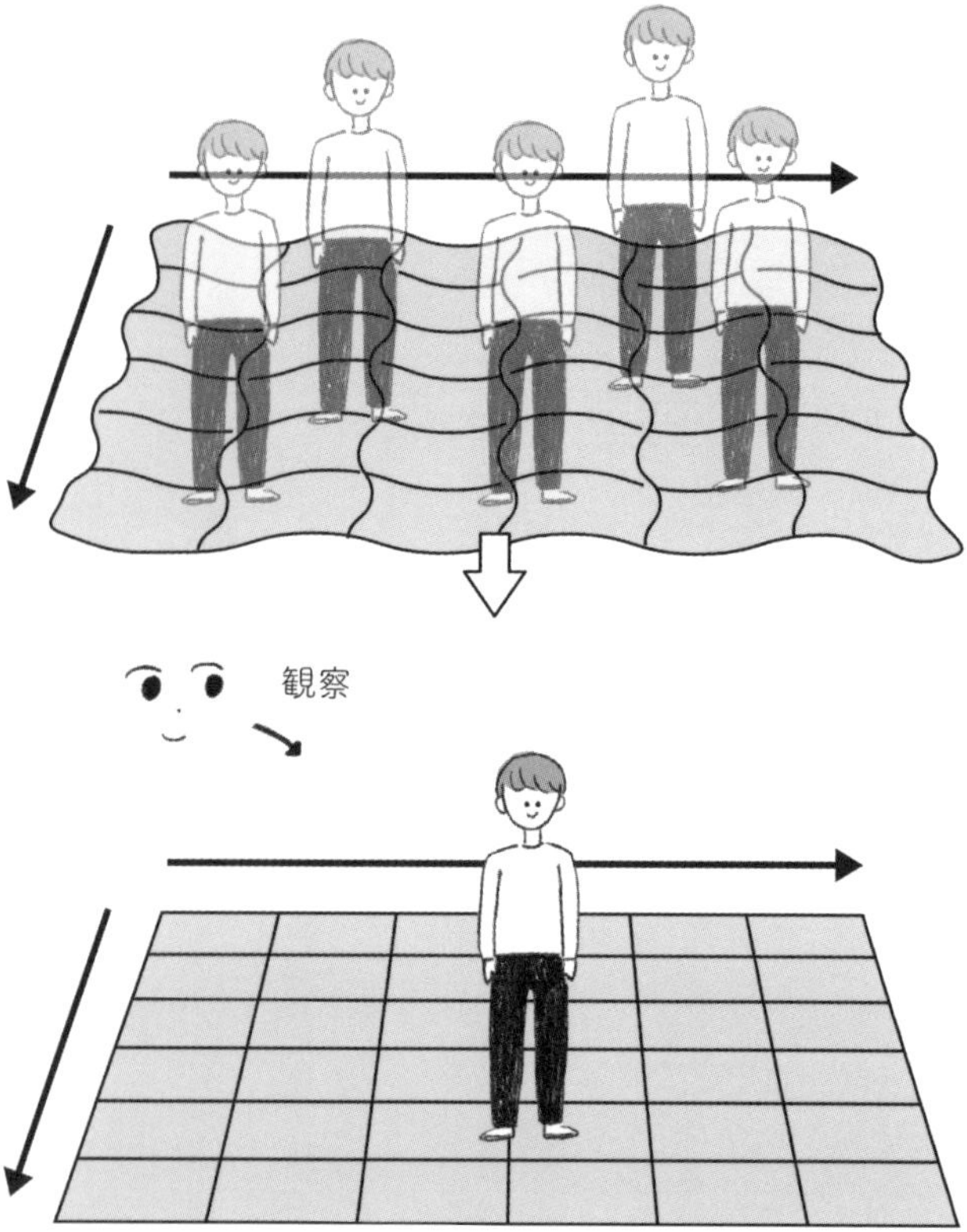

そして素粒子は大きさがゼロですが、長さを持つ紐のような存在だとする「超ひも理論」という仮説があります。素粒子は、紐のようなものが振動していて、私たちは、四次元の世界（縦、横、高さ、時間）に住んでいますが、この世界では十一次元と仮定されています。もはや、私たちの感覚では想像ができない世界です。

私たちが呼んでいる物質について、実は隙間だらけなのにあるように見えるのは、素粒子が同時に色々なところに雲のように存在しているためです。ちょうど自転車の車輪は隙間だらけですが、回っていると面のように見えるのと似ています。

そして、分子・原子レベルで光の一部を吸収し、一部を反射して、その反射光が後述する可視光線だと我々に見えるのです。そして、また触るとあるように感じるのは、電子同士の電気的な反発力があるからです。

3　時間も空間もない素粒子の世界

素粒子に「時間」がないことを証明する実験

さて既述しましたように、素粒子は観測していないとき、色々なところに存在している波のような存在ですが、観測すると粒子（例えば、テニスボールのようになると考えてください）になるという奇妙な性質があります。ここでは、さらに、素粒子の世界は、時間も空間もない世界だというお話をしたいと思います。

素粒子には、時間がないことを示す実験として、二重スリット（2本の平行に並んだ縦の隙間）の実験があります。簡単に説明しますと、ある地点Aから、素粒子をB地点を経由してC地点へ向けて飛ばしたと考えてください。B地点には二重スリットがあり、スリットの隙間しか素粒子しか通過できません。C地点にはスクリーンがあって、素粒子が届くと痕跡が残ります。

素粒子は、観測しなければ波として存在しています。それは二重スリットのどちらの隙間も通過し、Cのスクリーン上に干渉縞（濃い縞と薄い縞とが交互に縦の縞模様ができる）ができることでわかります。ところが、Bにある二重スリットの通過する直前で、その素粒子を観測すると、素粒子は粒子（テニスボールのようになり）に変容し、この場合は二重スリットのどちらかの隙間しか通れないので、どちらかのスリットを通ってCのスクリーン上に、点として痕跡が残ります。

つまりB直前で観察することによって、本来、干渉縞になるはずのものが、粒子としてCに到達したのです。すなわち、B直前の観測（観察）という行為が未来Cでの素粒子の存在状態を変えてしまったのです。

一方、今度は、Bにある二重スリットを通過した直後に観測したらどうでしょうか。観察したら粒子（テニスボール）になるので、その瞬間、Bにある二重スリットのどちらのスリットを通過したかがわかる結果になったのです。

B通過直後の様子を観察することによって、Bを通過する直前の素粒子の波という状態を粒子の状態に変えてしまったのです。このように、素粒子は、現在、未来、過去という時間の流れのない無時間な存在ということになります。

素粒子に「空間」がないことを証明する実験

一方、空間（距離）がないことを示す事実として「量子もつれ」という現象があります。例えば、電子は、ある1つの軌道に、2つ電子がお互い対となる異なるスピン状態（例えば、右回りと左回り）として存在するという法則があります。

もっと簡単な比喩で述べますと、1つの部屋に2人まで入ることができると考えてください。そして、この部屋にはいる2人には、ルールがあって、1人が右手を挙げたら、もう1人は左手をあげなければならないのです。

さてAさんBさんという2人を別々にし、できるだけ遠く、宇宙の果てまではなれてもらって、Aさんに右手を挙げてもらいます。そうすると瞬時に宇宙のかなたに離れたBさんは左手を挙げるのです。AさんとBさんがどんなに離れようとも、情報が一瞬に伝わるのです。これが量子もつれです。

つまり、素粒子には距離で隔てている空間がありません。このように素粒子の世界は、時間と空間（時空）がない世界なのです。私たちは、時空に制約されている世界に住んでいますが、同時に私たちや世界をつくっている素粒子は時空がない世界なのです。

時空で制限されている私たちの世界と、それを構成している時空のない素粒子の世界が同時に混在しています。物理学者のデヴィット・ボームは、この奇妙な世界について、ホログラフィー宇宙モデルを考えています。これについては、第5章のコラムで、また述べたいと思います。

時空がない素粒子の世界が「空」。そして、素粒子が集まってできた時空のある、我々が見ている世界が「色」とも考えられます。

まさに色則是空、空則是色の世界に私たちは住んでいるのです。

4　空（くう）は、満たされている

宇宙はほとんどが見えない何かからできている

さて、今度は私たちより大きなものに目を向けてみましょう。身体の外には家族がいて、国があって、地球があって、惑星があって、銀河系があって、宇宙が無限に広がっています。

今、宇宙の大きさは１４０億光年とされていて（1光年は、光が1年で進む距離）、さらに膨張しているといわれています。宇宙の外は何なのか、非常に興味がそそられます。宇宙の中は、観察できるものとして、惑星、銀河系などがありますが、それは宇宙の中のわずか5％程度と言われています。その他には、ダークマター（暗黒物質）が27％、ダークネルギーが68％だそうです。

つまり、宇宙そのものは、ほとんどが見えない何かからできています。仏教で、すべては実体がないものとして「空」と呼びましたが、宇宙空間では何もないところも、実はダークマター（暗黒物質）とダークエネルギーで満たされていることがわかってきたのです。

ダークマターやダークエネルギーが何なのか、今後の研究成果に興味がつきません。

【図表４　宇宙の組成】

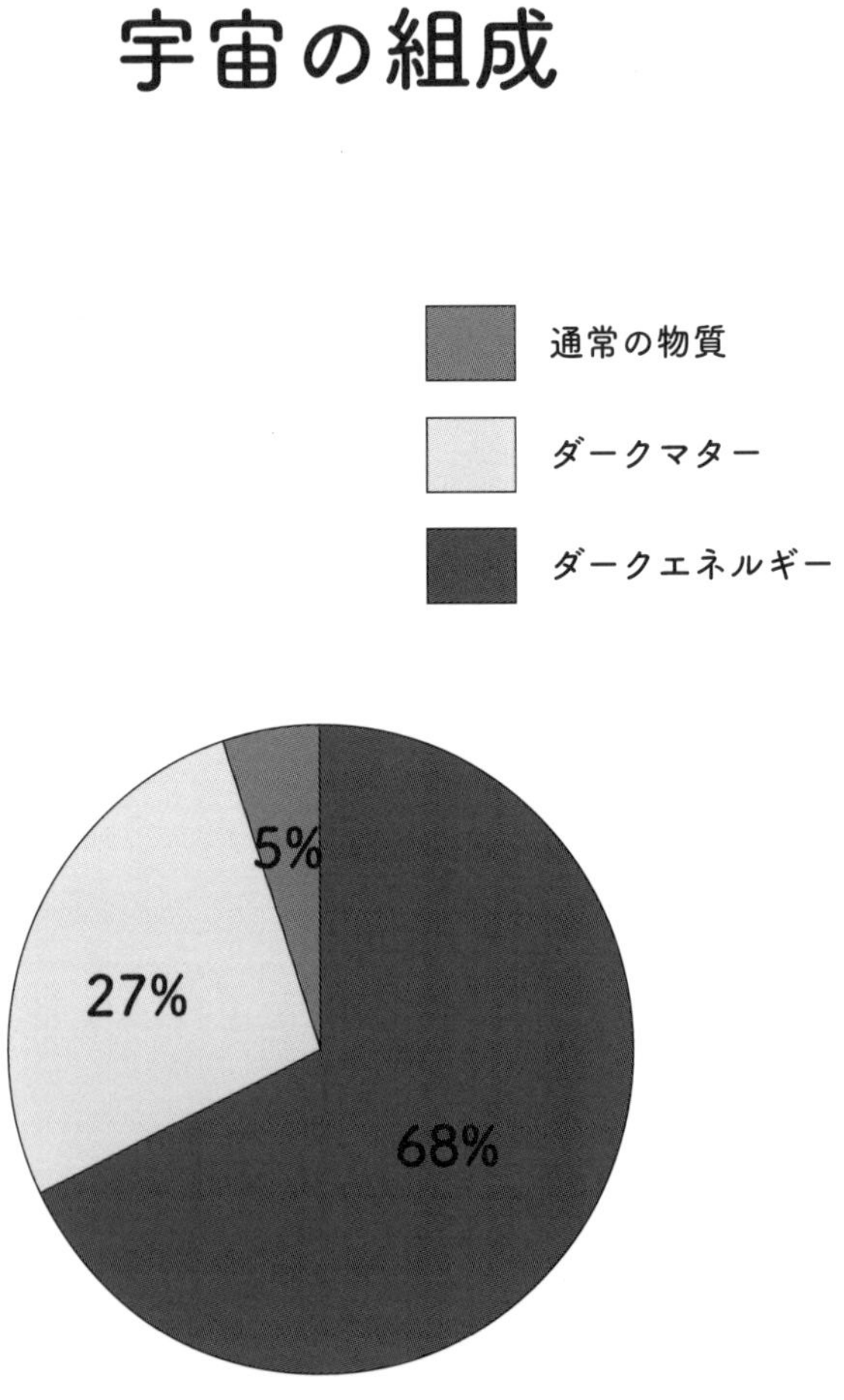
宇宙の組成
通常の物質
ダークマター
ダークエネルギー
5%
27%
68%

5　部分であり全体であるという世界（ホロン構造）

ミクロの世界とマクロの世界

このように私たちの世界は、ミクロの世界と、私たちより大きなマクロの世界があります。私たちについて、細胞から見れば、私たちは身体をつくっている全体ですが、私たち自身も社会、地球、宇宙をつくっている一部です。

私たちを形づくっている細胞は、私という人間をつくっていることはほぼ認識していないでしょう。私たちの体の中には、自分自身の細胞であることを認識し、それ以外のものが体内に入ると、それを除く免疫細胞があります。また、胃の細胞は食べ物が入ると、それが刺激となって胃酸を分泌します。

他にも、私たちをつくっている細胞は私たちが生きるうえで必要なことを日々実行していますが、彼らは私という身体をつくっていることを知っているでしょうか？

本当のところはわかりませんが、たぶんそんなことはわからず、自分の役割を全うしているように思います。細胞をとりだして、培養しても同じような刺激への反応があることを観察すると、やはり体のために働いていることをわかっているようには思えません。

同様に、私たち自身も、より大きな何かの一部として何か貢献しているのかもしれません。このように、「私たちは部分であると同時に全体」なのです。図表2で紹介したとおり、このことをホロン構造といいます。

素粒子が宇宙の謎を解くカギになる

古代ギリシャ神話にでてくる「ウロボロス」は「尾を飲み込む蛇」だそうです。ノーベル物理学賞を受賞した素粒子物理学者、シェルドン・リー・グラショウ博士は、「素粒子の研究を進めることによって、宇宙の全体の構造がわかる」という関係を、古代神話に出てくる「ウロボロスの蛇」になぞらえました（図表5）。

果てしなく小さい素粒子の研究をしていくと、宇宙全体の謎が解けるというのです。

宇宙は、そもそもなにもない無からビックバーンが生じ、10^{-36}秒後に素粒子が生まれたという説があります。専門外ではありますが、素粒子の研究が宇宙全体の謎の理解につながるというのが納得できるような気がします。私たちの世界は、部分という性質と全体という性質の2つを持っているのです。

【図表5　私たちの世界と「ウロボロスの蛇」】

私たちの世界と「ウロボロスの蛇」

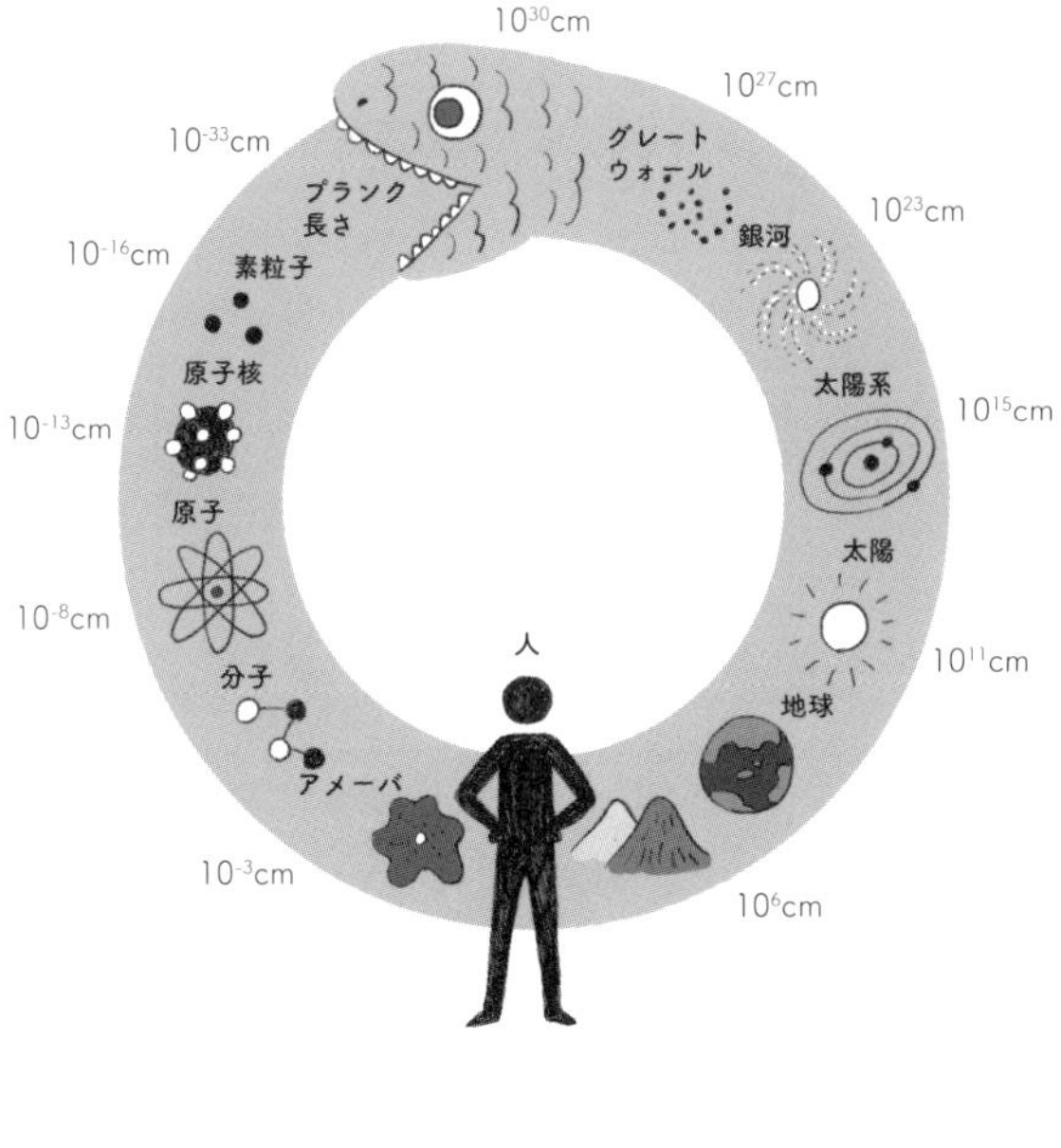

6　時間も絶対的なものではない

時間への認識

時という感覚についても、絶対的なものではないことを触れたいと思います。
時については、次の3つの認識の仕方があります。

①心の時計

「大人になると1年が短く感じられる」ということを多くの人が実感しているのではないでしょうか？

小学校6年間はすごく長かったのに、大人になってからは6年間があっという間に過ぎるのを実感している方が多いと思います。年をとればとるほど時間が早く感じられます。

実は、これからの20年間がこれまでの20年間と同じ時間感覚で過ぎるのではないのです。1年間の時間の感じ方を、1／年齢と表せるという報告があります。つまり歳をとればとるほど、1年間が短く感じるのです。これは新しい出来事の体験があると、新たな神経ネットワークができ、それが時間感覚に反映されるという根拠に基づいています。

小さい頃は、毎日新たな体験が多く時間が長く感じられます。大人になって日々に慣れて新たに体験する出来事が減ると、同じ時間が、新しい体験が多い子どもより短く感じるのです。また、体の代謝速度と心の時計とも相関があり、代謝が活発でないと時間が短く感じられるという報告もあります。

目覚めて間もないときは体の代謝が活発でないため、時間が短く感じられるし、年をとると代謝が活発でないので、子どもよりも時間が短く感じられます。だから、心の時間を長くするには「新しい体験をする」、「チャレンジする」こと、運動などで代謝機能を維持させることだと言われています。

旅をするとき、行きの時間は長く感じますが、帰りは同じ体験なので短く感じられます。帰りも、行きと同じルートだと新しい経験が少ないからです。帰りはあえて、異なるルートをとると、帰りも時間が長く感じられるようです。

②体内時計

私たちを含め、動植物の中には、24時間周期を生みだす蛋白があります。その１つとして、ピリオド遺伝子というものが発見されています。
この遺伝子がコードする蛋白は、1日という単位で増減する蛋白があり、これによって私たちの代謝のリズムも調整されているのです。夜遅くまで起きていたりすれば、体内時計が乱れ、体内時計の乱れが病気につながることも実証されています。

③時間も空間の一部：一般相対性理論による「時間の伸び縮み」

特殊相対性理論によると時間の進みは伸び縮みします。私は、この領域の専門家ではないので、その根拠となっている詳細なことには触れられませんが、言われていることの結論は次の2つです。

〈光の速度に近いほど時間の進み方は遅くなる〉：

例えば、光速の80％の速さで進むと、時間の流れる速さは60％遅くなるそうです。具体的には、双子の兄が光速の80％で宇宙を旅行し戻ってくると、地球にいた弟は60年経つところを、兄は36年しか経過しないということが理論的に起きます。2人が20歳のとき、兄が宇宙へ旅立って、地球で60年後に、宇宙旅行から戻ってきた兄と再会したとき、弟は80歳、兄は56歳ということになります。

〈重力が強いほど、時間の進み方がゆっくりになる〉

地球など巨大な物体の近くにいるほど、時間の進み方は遅くなるのです。たとえば、熱気球に乗って上空にいる人は、地上に立っている人よりも速く年を取ることになります。

一般相対性理論によると、重力は時空を歪ませ、時間の進みを遅らせます。このため重力場の存在する惑星上では、重力のない宇宙空間に比べて、時間がゆっくり進むことになります。

これは実際、実証されていて、ＧＰＳデバイスなどの時計も、相対性理論的な影響を受けるため、正確に時を刻み続けるように適宜補正がなされているのです。このように時間というのも、絶対的な時間というものではないのです。

7　世界は物からではなく、相互作用による出来事からできている

私たちは永遠で奇跡的な存在

さて、私たちは隙間だらけのほぼ無でできているのに、なぜ触るとあるように感じるのでしょうか？

それは原子の「反発力」のおかげです（図表6）。つまり、原子の表面は電子が分布していて、電子はマイナスの電気を帯びているので、原子同士が接すると反発力が生まれます。そのため、例えば握手すると、手と手はすり抜けないのです。

このように、この世のものは、大きさのある物からではなく相互作用から体験しているということになります。

科学的視点から見ても、この世のすべての物は、空（実体がない）であるという仏教の教えに当てはまっています。また、仏教では、すべては空であり、この世は縁起（つながり）より成り立っていると説いていますが、これも今述べたように、私たちが素粒子の相互作用が接触間として「ある」という認識にさせていることとよく一致しています。

仏教の重要な教えとして「三法印」と呼ばれる「諸行無常」、「諸法無我」、「涅槃寂静」があります。諸行無常とは、すべて縁起として現れるもので、常に変化してやまないこと、すべてが一時的な縁で生じ消えていき、すべてものに絶対的な実体はないということです。

これは科学でも、宇宙に常に拡大しているし、私たち身体をつくっている分子もほぼ3年ですべて変わります。その分子を構成している素粒子を見ると、絶対的な存在として、あるところに局在している存在ではなく、色々なところに同時に存在しています。

【図表6　原子の反発力】

「無」な存在なのに、触られたと感じるのは、
原子の「反発力」があるから

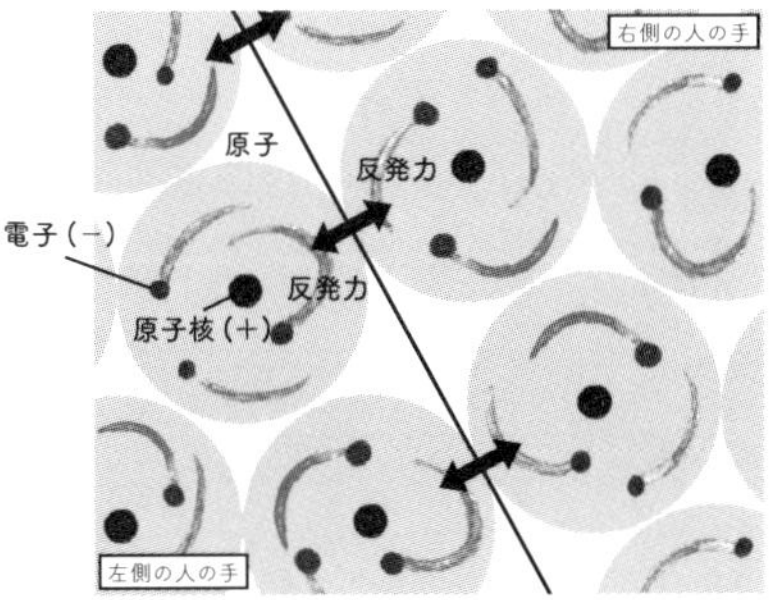

皮膚の接触部分を拡大すると表面の電子のマイナスどうしで反発している
存在するかどうかは、この反発という相互作用を通して感じている

時間についても、絶対的な時間は存在しないということがわかっています。そして、「諸法無我」は、「これが私だ」と言えるような絶対的な自己はないということですが、これは次の章以降で脳科学の視点からお話したいと思います。

このように、私たちの世界には、確固たる物質から成り立っているのではなく、一時的な縁・相互作用で生じた出来事から成り立っているといえます。

そして、私が生まれたという出来事も、とても低い確率で起きたことなのです。例えば、私たちの祖先を見てみましょう。父母の2人には4人の親がいます。そのように計算していくと、20代前の祖先は約104万人、30代前では21億人です。昔は重婚や近親婚もあり、実際はその数よりは少ないはずですが、それでも私たちの背後にはたくさんの人がいます。

そしてさらに、その背後には人類の祖先がいて、驚くべきことに、これら背景にいるどの1つのピースが除かれても、今の私はいないのです。私たちの存在は、二度起こる可能性のほとんどない奇跡的な存在です（図表7）。

よく奇跡的なこととして、超能力ができるとか、物質を空中から出すようなことをいいますが、私たち自身の存在そのもの、木々の緑、生命そのものが、当たり前のように起きていることが、実は宇宙から見れば、とても奇跡的な出来事なのです。

【図表7　先祖の図】

先祖の図（およそ200年〜300年の一部の図）

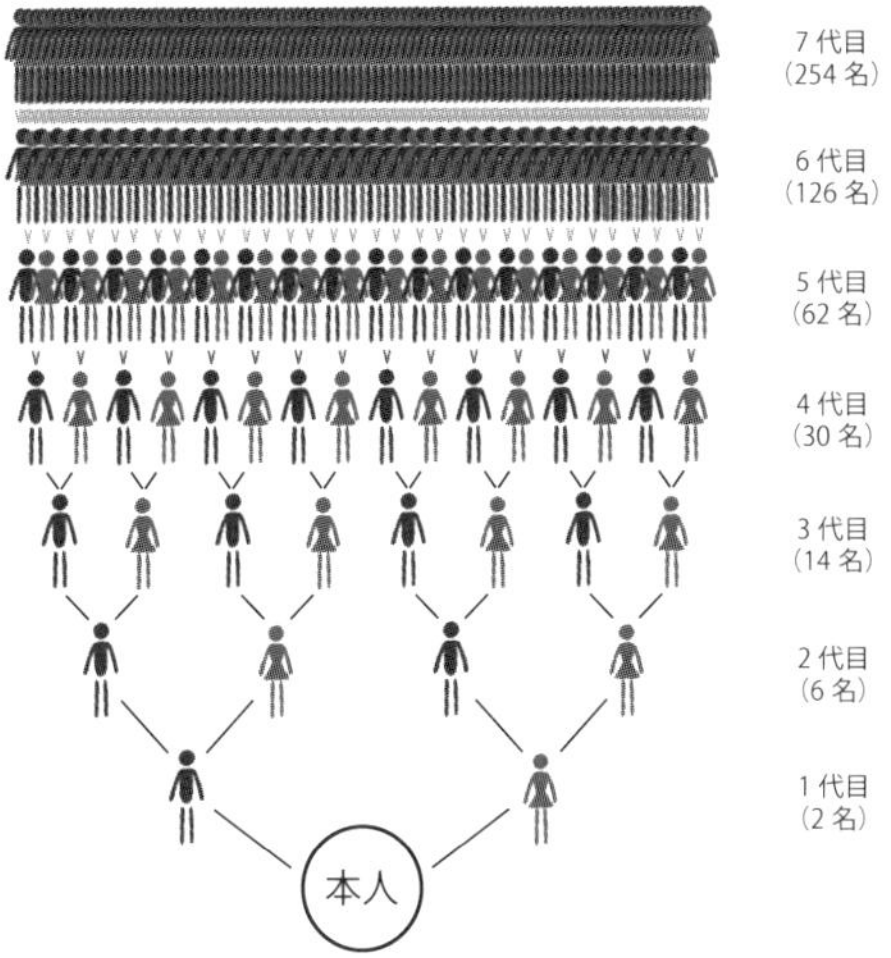

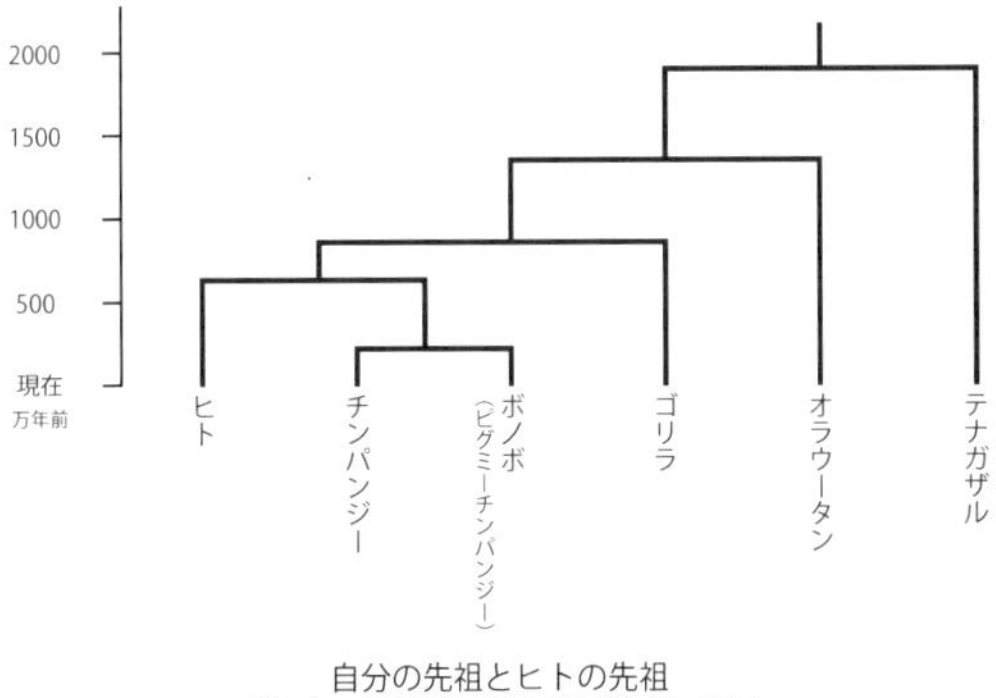

自分の先祖とヒトの先祖
どれ１つ欠けていても私は存在しない

中国に、「奇跡とは、空を飛ぶことでも、水面を歩くことでなく、地面の上を歩くことである」ということわざがあります。それは科学的に本当に正しく、私もあなたも奇跡的な存在なのです。私は、この奇跡的な存在を鳴門でよく見られる渦のように感じます。実体として渦が見えますが、その本体は、鳴門の海です。この海に相当するものが「空」です。これは、時間・空間（時空）もない素粒子の世界から、素粒子が相互作用して、一時的に時空で制限される私たちの世界が生まれています。

海が色々な温度や流れの違いによって、たまたま渦ができるのと類似しています。そう考えてみると、私たちの存在は海と渦の両方の存在で、もし私たちが海としての存在、つまり「空」を感じることができたなら、私たちは「永遠の存在」であることを体感できるのです。これが三法印の最後の「涅槃寂静」の意識です（詳細は5章にて記述）。

私たちは、色々なご縁の中で生じた一時的な出来事にすぎませんが、空に意識を置くと、実は私たちは「永遠の存在」なのです。永遠とは、時間がいつまでも続くという意味でなく、素粒子で見られたように時間が存在しないということです。般若心経では、このことを頭による理解と最後の真言による体感で教えているように思えます。私たちは、1人ひとりが奇跡的な存在であると同時に、永遠の存在なのです。

第2章　生物はそれぞれ異なる出来事を体験している
——生物によって世界が異なる

【原文】

是故空中　無色無受想行識

無眼耳鼻舌身意　無色声香味触法

【一般的な解釈】

それ故に、空において、物質要素（色）はなく、感覚（受）もなく、衝動（想）もなく、意識もない。

眼も、耳も、鼻も、舌も、体も心もない。形もなく、音もなく、匂いも味もなく、触れられるものも、心の対象もない。

1　生物はそれぞれ独自の色眼鏡で見ている

十八界の感覚器官

お釈迦様は、私たちの感覚器官を十八界に分類しました（図表8）。般若心経では、これもないと見切ったのです。

この十八界は、今の生理学や脳科学で明らかにされたものとかなり近いものがあります。これについて次に述べたいと思います。

私たちの感覚器官は、視覚、聴覚、味覚、嗅覚、触覚でできています（図表9）。これは、お釈迦様のいう六根のうち、意根を除いたものとよく一致しています。

また、それらの感覚器官で受けた刺激は、脳内で、視覚野、聴覚野、味覚野、体性感覚野（触覚、温覚、痛覚），嗅覚野に到達し、そこで刺激を感覚として感じているわけです（図表10）。これもお釈迦様のいう六識とよく一致しています。

一方、お釈迦様のいう意識は、「考える脳」で、大脳皮質に存在します。お釈迦様の言う「意根」は、ここでは記憶に必要な「海馬」と対応させました。

【図表８　十二処・十八界の概念】

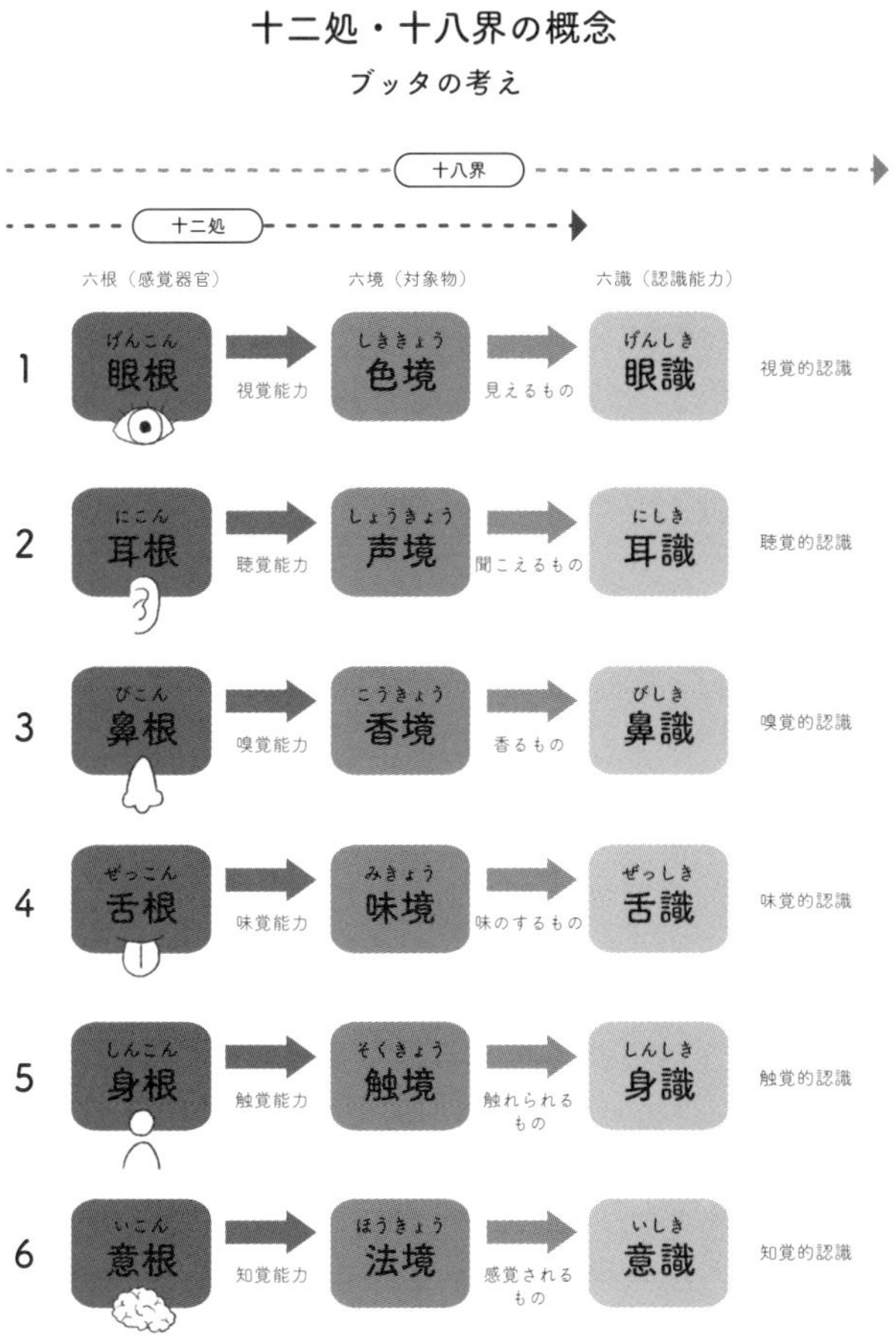

【図表９　現代生理学に置き換えた例】

現代生理学

	六根	六境	六識
1	眼	可視光	視覚野
2	耳	音	聴覚野
3	鼻	匂い 物質	嗅覚野
4	舌	味覚 物質	味覚野
5	皮膚	触覚 温覚 痛覚	体性感覚野
6	海馬	体験	大脳皮質

【図表 10　脳の知覚野】

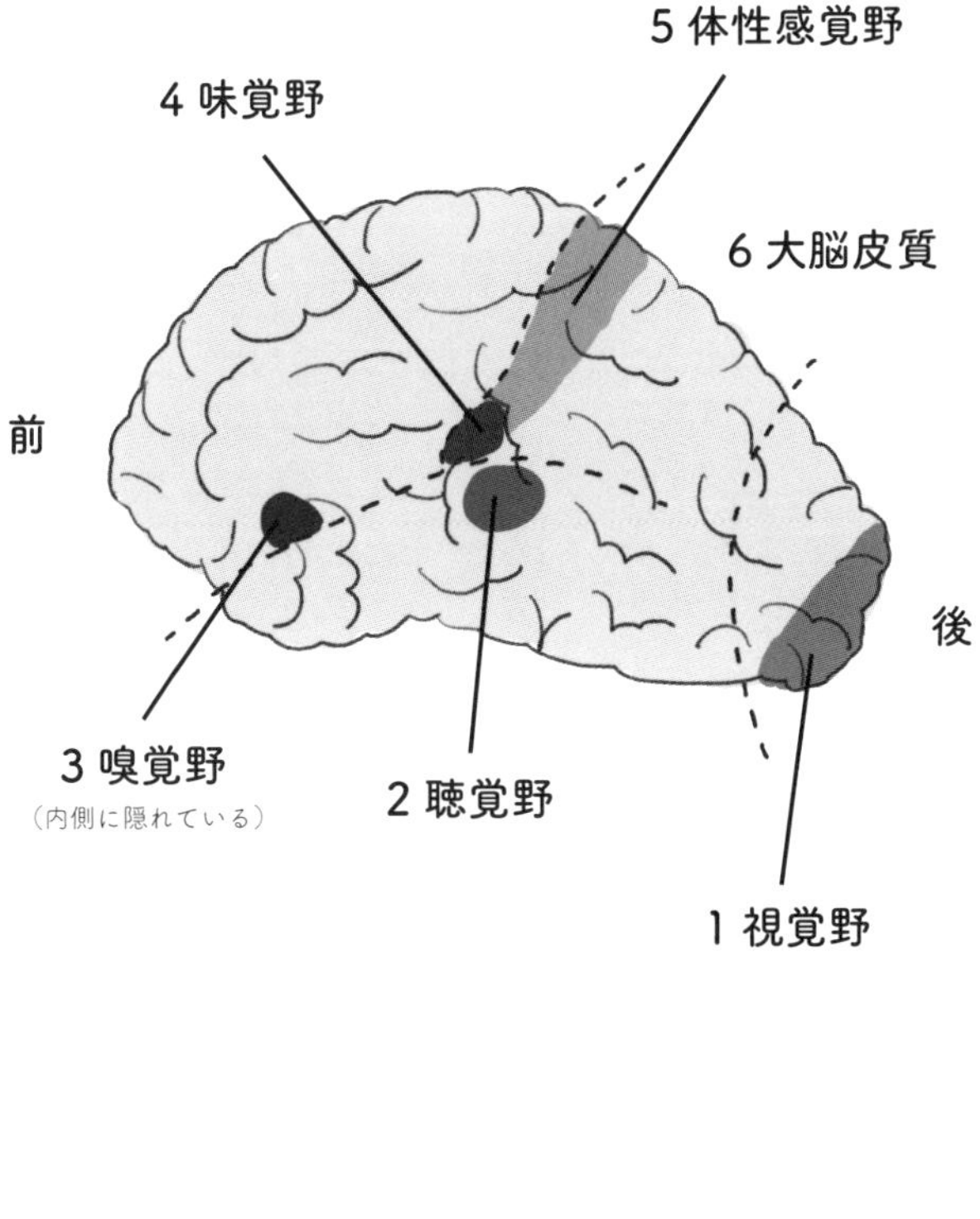
5 体性感覚野
4 味覚野
6 大脳皮質
前
後
3 嗅覚野
（内側に隠れている）
2 聴覚野
1 視覚野

お釈迦様が生きていた時代は、まだ脳や神経のことが全くわかっていなかった時代ですが、その時代での人間に対する洞察は、現在、科学が明らかにしたものとほぼ近いので驚きです。お釈迦様のこの分析力からすると、今、お釈迦様が生まれていたら、立派な科学者として活躍していたでしょう。

現代の科学でも、般若心経がいっているのと同様に、私たちがこれら感覚器官を通じて見える世界は絶対的なものではないということが証明されています。生物は、それぞれ生物特有の感覚器官があって、生物によって見える世界や感じる世界が異なっているということが明らかになっています。

同じ地球という環境を共有しながら、生物によって全く異なる世界に住んでいます。

ここでは、その話をしたいと思います。

私たちが見ている実態は脳がつくりだしている

例えば、視覚について考えてみましょう。

まず、私たちが見ている実態は、脳の中でつくり出しているということを理解してもらうために次のことを試してみましょう。次のQRコード（図表11）を読み取っていただき、

【図表 11　視覚テストの QR コード】

URL：https://youtu.be/iJWjBjXFeko

その画面にある丸の緑を30秒くらい見た後、動画に従って次の出てくる白を見てください。何か色が見えてきませんでしたか？　何色が見えたでしょうか？

おそらく紫の丸が見えたかと思います。どうでしょうか？

多くの方は紫が見えますが、このように見えない方もいます。気にすることはありません。他にも、人によって感じ方が異なるお話を後でします。

なぜ、こういうことが起きるかを説明したいと思います。人間の眼球には色を識別できる神経細胞があります。これは錐体細胞と呼ばれ、青、緑、赤の3種類しかありません（図表12）。

白色というのは、この3色がすべて反射している色を見たときに感じる色で、もし緑をずっと見ていると、緑の色と反応する錐体細胞が反応しなくなるのです。

【図表 12　目の構造】

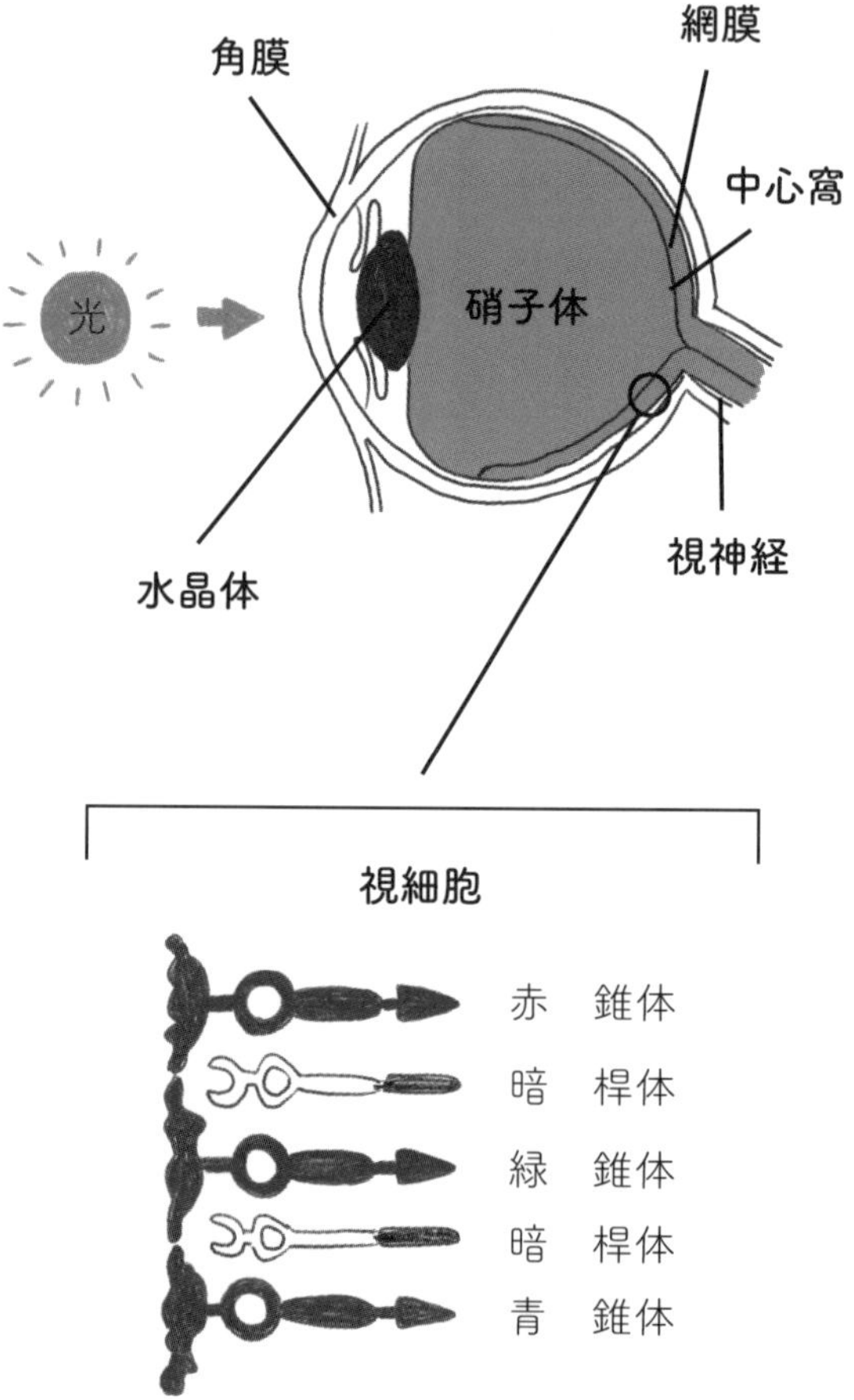
角膜
網膜
中心窩
光
硝子体
水晶体
視神経
視細胞
赤　錐体
暗　桿体
緑　錐体
暗　桿体
青　錐体

そうすると、青と赤の混合の紫色が見えてきます。これは補色と呼ばれているものです。つまり、実際にはそこに色がないのに、脳の視覚野で紫が画像として出てきてしまい、存在していると思ってしまうのです。では、URLの動画に従って、今度は赤を30秒くらいじっと見続けた後、白を見ると何色が見えるでしょうか？

おそらく青と緑の混合色の水色が出てくるでしょう。なぜなら赤をずっと見ることによって、赤の錐体細胞が反応しなくなったからです。

明暗や色の認識

明暗のほうは、網膜を刺激した後、桿体細胞と呼ばれる細胞が刺激を受け取り、視神経を刺激し、脳の後頭部の視覚野で明暗を映し出します。

私たちの目はずっと同じ物を見ていると、視神経が反応しなくなり画像がぼけてしまいます。そのため眼球が常に振動しています。これをサッカード急速眼球運動と言います。実は、これが後述する錯視を生む原因といわれています。

次に、私たちが感じる色も、生物によって異なる話をします。光というのは電磁波で、私たちが色として感知できるのは、波長が４００ｎｍ～７００ｎｍの電磁波です。それより小さい波長の紫外線やX線は私たちには感じることができません。

また、それよりも長い波長の赤外線は見えることはできませんが、温感として感じます。そして見える電磁波の波長領域が動物によって異なります。例えば、昆虫のハチは、紫外線をよく見ることができます。蝶はさらに細かく色の違いを感じる視神経を持っています。猫や犬も我々が見える波長とは異なる波長が見えています。

つまり生物は同じものを見ていても、生物によって異なる色を感じているのです。

音の感じ方

では、次に音はどうでしょうか？ 音は空気の振動を耳の鼓膜近くにあるアブミ骨が振動として鼓膜に伝えます。しかも、この骨を通して、余計なノイズの音を削除し、同種動物の音声を選択できるように調整されているのです。

少し専門的となりますが、鼓膜の振動がリンパ液の中を通り、有毛細胞の毛の部分が揺れて、これが刺激となりカリウムチャネルというものを開口し、カリウムが細胞内に流入し電気信号となり聴覚野に伝わります。そして音として感じることができる空気の振動数も動物によって異なります（図表13）。

【図表13　感知できる振動数】

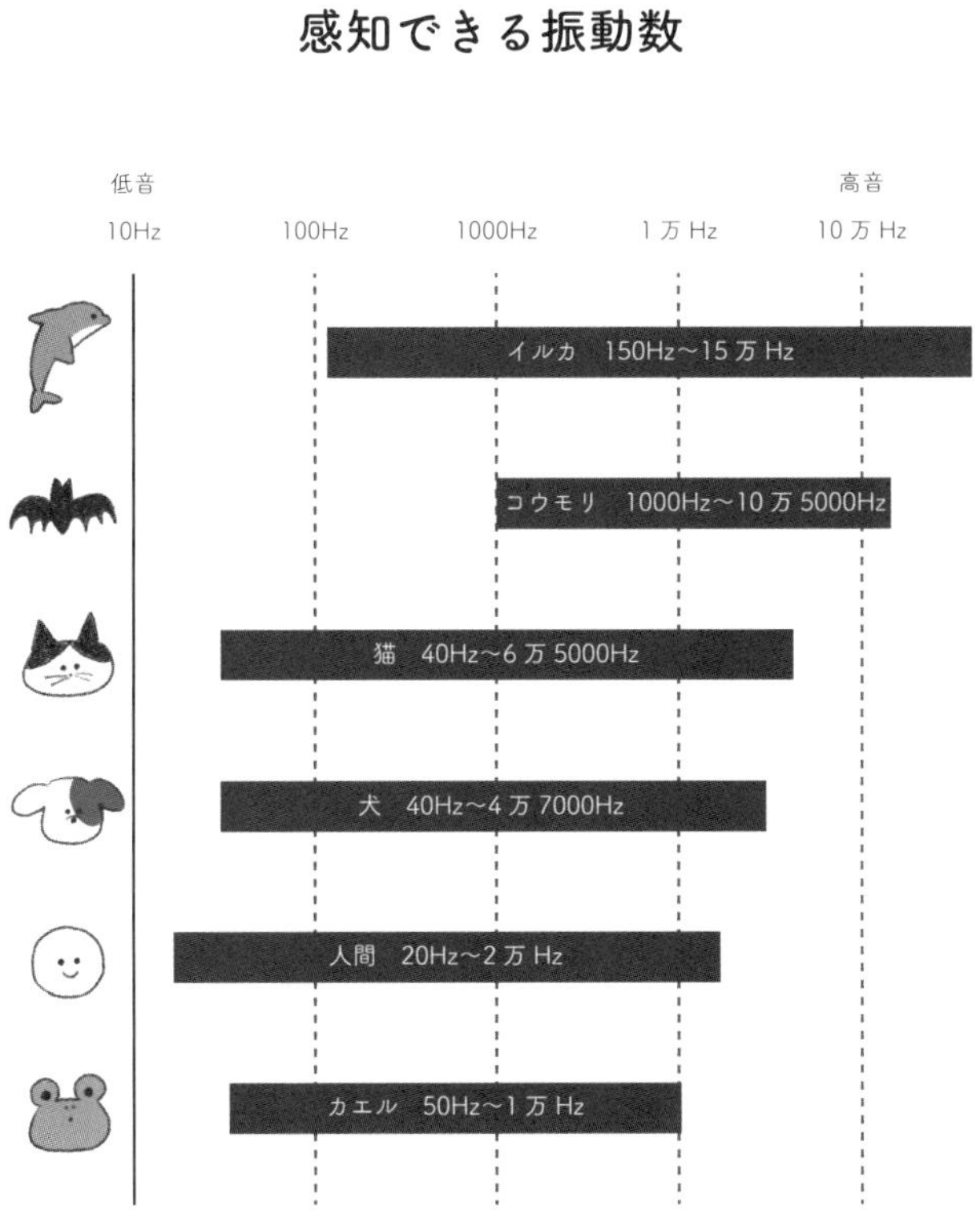

つまり、聴こえる音の範囲も生物によって異なるのです。例えば、私たちの聴こえない高い振動数の空気の振動をコウモリやイルカは音として感じているのです。

匂いや味覚の感じ方

では匂いはどうでしょうか？　空気中の分子を鼻の中にある嗅覚受容体に結合し、嗅球というところで感じます。これも動物によって、嗅覚受容体の数が異なり、匂いの感じ方も生物によって異なります。

ネズミが猫を天敵と感じますが、その原因は匂い物質であることがわかりました。この臭い受容体を破壊したネズミを人工的につくると、そのネズミはまったく猫をこわがらなくなります。

また、味覚は味蕾によって感じますが、動物によって味蕾の数が異なり、味の感じ方も異なるのです（図表14、図表15）。

このようなことを考えると、私たちの身の回りに存在する「空気の振動」、「電磁波」、「空気中に浮遊している分子（匂い）」、「水に溶けている分子（味）」を、これを私たちの感覚器官で音、色、匂い、味と感じているだけなのです。

【図表 14　味覚は、味物質が味蕾について起こる】

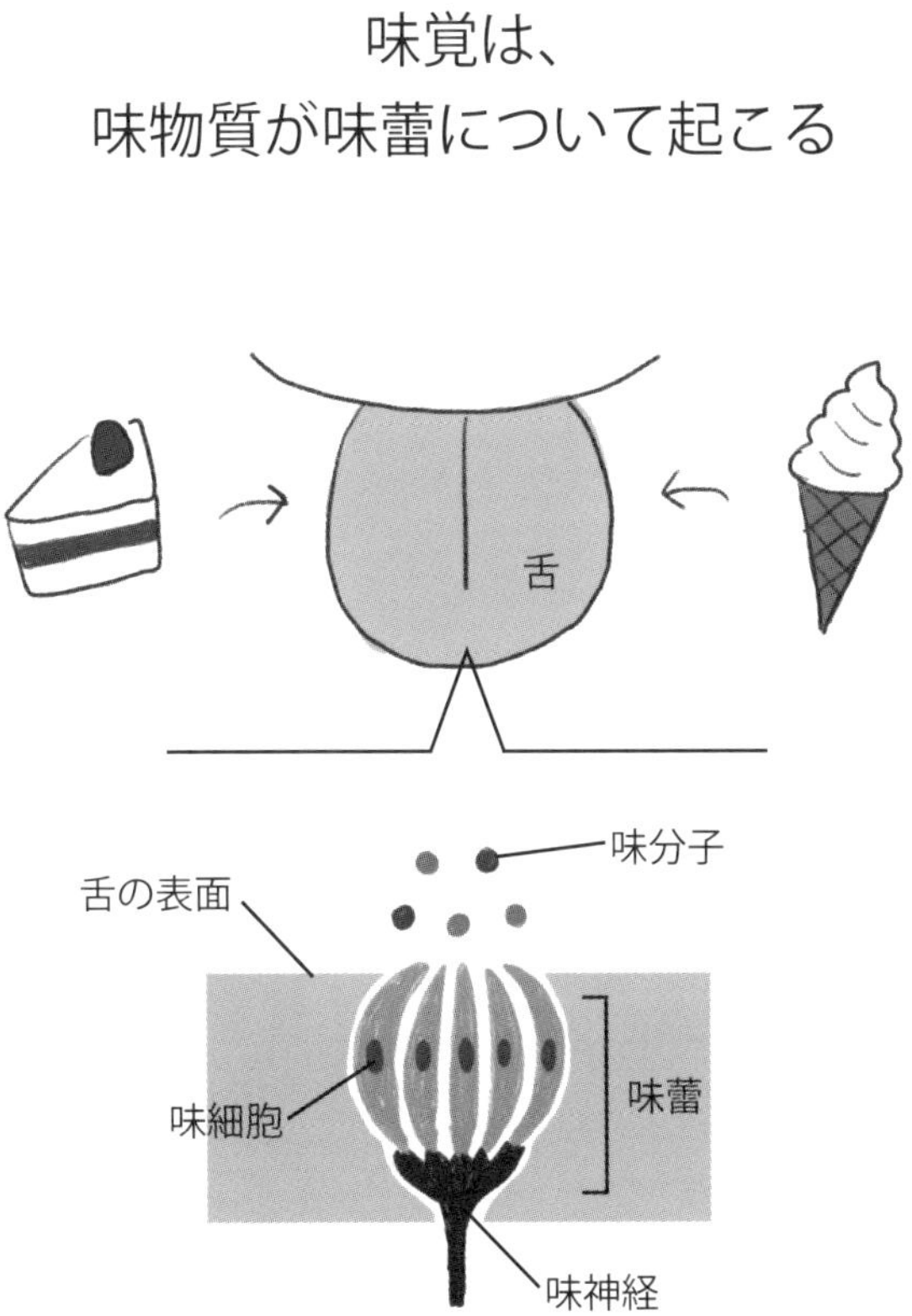

【図表15　味蕾の数】

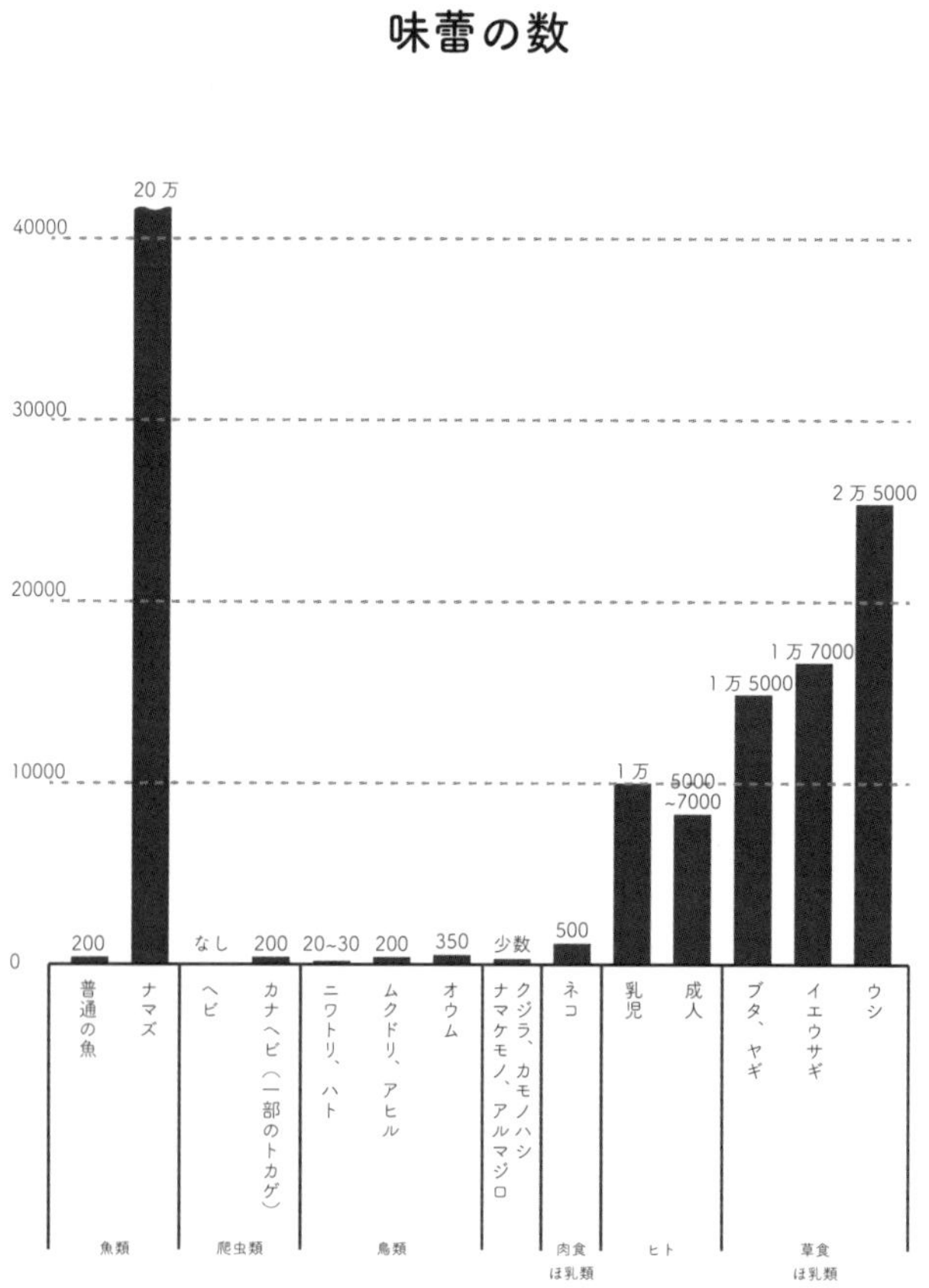
味蕾の数
40000
30000
20000
10000
0
200
20万
なし
200
20~30
200
350
少数
500
1万
5000~7000
1万5000
1万7000
2万5000
普通の魚
ナマズ
ヘビ
カナヘビ（一部のトカゲ）
ニワトリ、ハト
ムクドリ、アヒル
オウム
クジラ、カモノハシ
ナマケモノ、アルマジロ
ネコ
乳児
成人
ブタ、ヤギ
イエウサギ
ウシ
魚類
爬虫類
鳥類
肉食ほ乳類
ヒト
草食ほ乳類

生物が認識する世界は異なっている

ダニは、触覚と酪酸（体臭）を感じる嗅覚、体温を感じる温感の3つしか感覚器官しかありません。人間から見ると､ダニはこれしか感じなくてなんて可哀そうかと思いますが、すべてをご存知な神様から見たら、私たち人間も、紫外線も、ダークマターも知覚できないし、4次元しか感じることができない可哀そうな存在ともいえるかもしれません。

生物が認識する「世界」は、それぞれの生物が自分の持っている感覚器で受け取った情報をもとに、それぞれの脳などでつくり上げたものなのです。同じ世界に住んでいても、感覚器によって「世界」がまるで異なっているのです。

今、本書を執筆しているのは、まさに新型コロナ禍中です。あるニュース番組で、アナウンサーが言っていたのが印象的でした。新型コロナに感染した人への中傷や誹謗がある状況を見て、「憎むのは、人ではなく新型コロナウイルスです」といっていました。

新型コロナウイルスは、本当に憎むべき存在でしょうか？　コロナウイルスから世界はどのように見えているでしょう?

新型コロナからすると、新型コロナウイルスは私たちの体を構成している細胞表面にあるＡＣＥ2という蛋白に結合するだけなのです。そして、一度結合すると、あとは自動的に、私たちの細胞がウイルスを取り込んで、私たちが持っている酵素、すなわち私たち自身がウイルスを増やし、ウイルス自体は何もしてないのです。それなのに敵視するのは変ですね。

私たちの遺伝子を解析すると、過去、ウイルスを体内に取り込み利用してきた痕跡がたくさん残っています。私たちのできることはウイルスを憎むことではなく、感染から身を守ることだけです。必要なのは、いかに共存していくかです。

2 錯視や錯聴：私たちは見たいように見て、聞きたいように聞いている

錯聴とは

私たちの感覚器官が私たちの世界をつくっている話をしましたが、ここでは感覚器官が受けた刺激をさらにバイアス（偏り）がかけられて感じている話をします。

私たちの脳には連合野というところがあります。視覚、聴覚などのそれぞれの感覚野で感じ取ったものを連合野で、過去の体験や他の感覚とで修飾して感じているのです（図表18）。

例えば、ある音が繰り返されているときに、階段を上っている動画を観ながら同時に聴くと音が高い音に上がっているように聞こえます。

これは錯聴と呼ばれます。インターネットで錯聴の例はいくつか動画などで出ていますので、実際に体験してみてください。

錯視とは

また、同じ灰色でも周りの色との関係で暗く見えてしまいます（図表16）。

これは錯視と呼ばれ、他にもたくさん例がありますからインターネットなどで検索してみてください。一方、食べ物でも、鼻をつまんで食べてみてください。鼻をつままず食べた場合と明らかに味が異なるのがわかります。匂いが味を修飾して感じさせているのです。

このように、私たちは、脳の連合野で勝手にバイアスをかけて感じているのです。視覚や聴覚など様々な感覚が実際と異なるように感じることを総称して錯覚と呼んでいます。

バイアスは、自然の環境の中で、生存や繁殖に有利なよう適応していった結果と考えられています。すなわち、生存や繁殖に有利なように適応したバイアスをかけ、見たり聞いたり感じたりしているのです。

【図表 16　同じ色の円でも周りの円の色で印象が変わる】

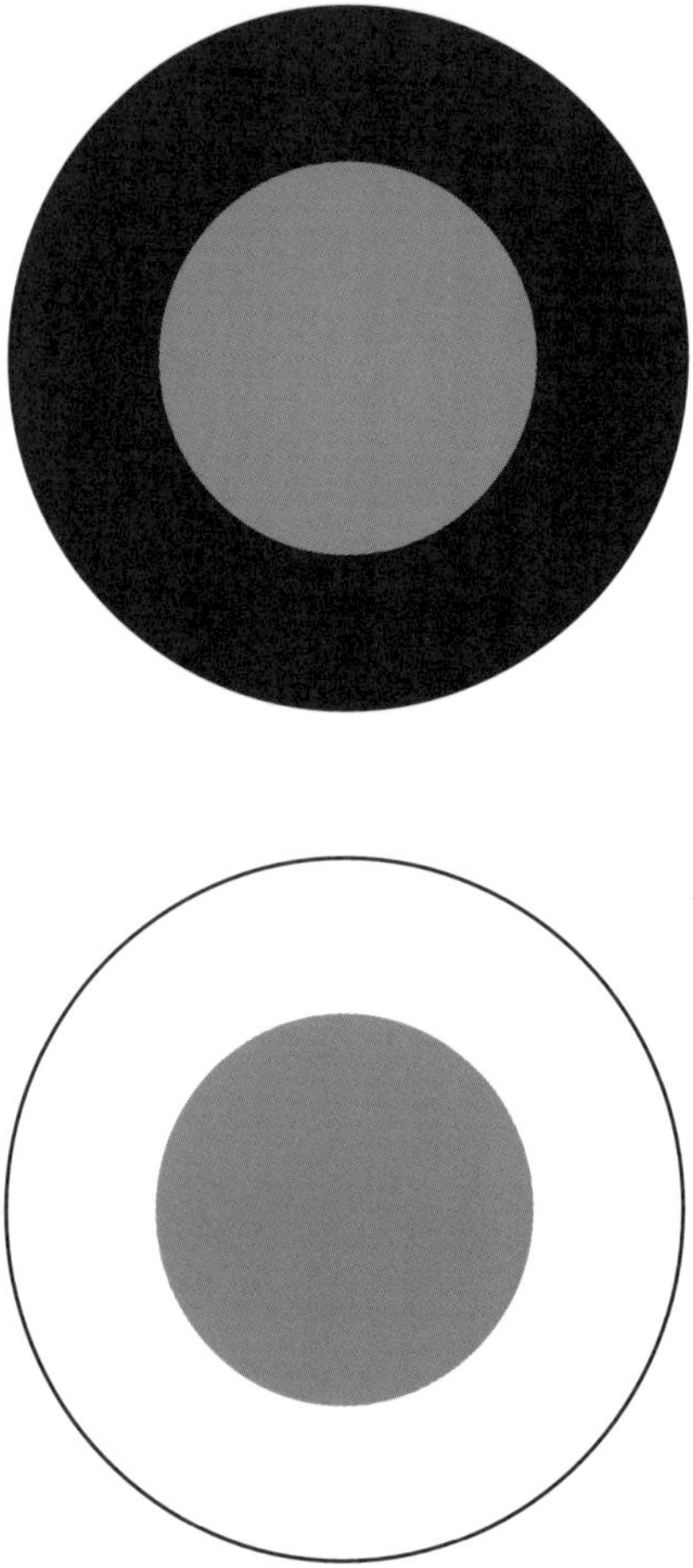

3　共感覚：色で音を感じる

共感覚とは

共感覚というものがあります。これは、ある刺激に対して通常の感覚だけでなく異なる種類の感覚が同時に生じてしまうことで、一部の人に見られる特殊な知覚現象です。１００人に１人がいると報告されています。

例えば、色を見たときに音を感じたり、また文字を見たときに色が見えたり、あるいは味で形が見えたりする人もいます。私にはそのような共感覚がないのでわかりませんが、芸術家などに多いといわれています。

これは、お互いの感覚野で神経が混線しているためではないかといわれています。例えば、色が音に感じる場合は、視神経の末端が視覚野と聴覚野にまたがっているという具合です。

私たちは、幼少の頃はたくさんのシナプス（神経と神経のつなぎ目）があって、大人になる過程で、必要なもの以外は削除されていくことがわかっています。実は赤ちゃんの頃は誰もが共感覚を持っているという報告があります（ワシントン大学心理学部教授のアンドルー・N・メルツォフ氏）。赤ちゃんの脳は、視覚や嗅覚などの感覚を個別に処理する機能が未熟で、視覚や嗅覚などが混在するケースが観察されたのです。つまり色を見て、臭いを感じるのです。

つまり、幼少の頃は、誰でもある程度、このような混線があって、おそらく共感覚の方はその一部が大人になっても残っているのかもしれません。厳密な意味で共感覚といっていいかわかりませんが、似たものとして誰もが持っている感覚で、形と音とが結びついているものがあります。

ブーバ、キキという音がありますが、図表17のどちらがブーバで、キキか、皆さん、共通して連想していると思いますが、いかがでしょうか？

また、かなり早い幼少期に失明した場合、視覚野の神経から聴覚野へと伸びて混線していることが報告されています。つまり、失明していても、音で私たちが感じている視覚のようなものを感じている可能性があります。

さて、このように、いわゆる共感覚を持っている方と通常の人とは感じ方が異なり、私たちが見ている世界は、人間同士の中でも絶対的なものではないということがわかります。

【図表 17　ブーバ／キキ効果】

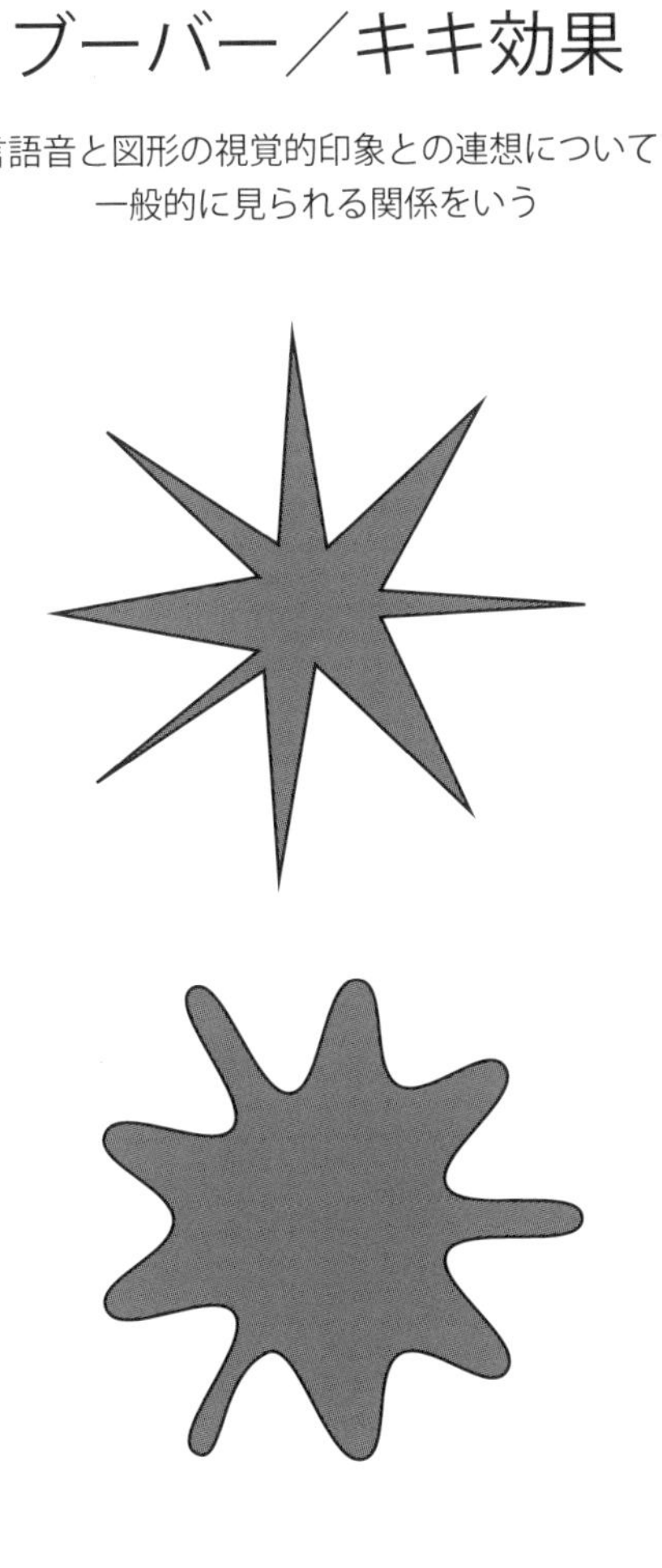
ブーバー／キキ効果
言語音と図形の視覚的印象との連想について
一般的に見られる関係をいう

4　共生、共進化：私たちは私だけで生きていない。生態系を守ろう

お互いにまったく異なる世界

このように異なる生物で、同じ地球に住みながら、見える世界も異なり、また感覚器官から来る情報もバイアスがかかって感じています。つまり、私たちが見ている世界は、絶対的で真実そのものではないのです。

まさに、般若心経でいう「無色無受想行識、無眼耳鼻舌身意、無色声香味触法」は、このことを指しているように思えます。

このように生物によって、まったく異なる世界にいるのですが、厳しい環境を生き抜く上で、異種の生物同士が、寄生や共生、捕食や競争関係などの相互作用を通じて相互進化していることがわかっています。

これを共進化と呼んでいます。例えば、ハチは自分の食べ物として花の雌しべから蜜を取りに行きます。花は、その代わり、自分の雄しべの花粉をハチにつけ、他の花の雄しべに受粉させます。お互いに利益があるよう相互進化した結果です。

ハチは一生懸命、自分の仕事をしていますが、実は無意識に、より大きな仕事、すなわち、植物の生態系も守っているのです。

私たちの体も共存の産物

私たちの体の中にも目を向けてみると、私たちは約37兆個の細胞でできていますが、腸の中には、それよりも多い１００兆個の腸内細菌が生息しているといわれています。この菌は、私たちの食べ物を栄養にしていると同時に、未消化な食べ物を分解し、私たちの栄養吸収を助けています。

最近では、人の健康状態ばかりでなく、精神状態もどのような腸内細菌が生息しているかで左右されることがわかってきています。腸内細菌自身は、おそらく私たちを助けていること、あるいは影響を与えていることなど全く知らないでしょう。太古の昔から、母親を通して、我々の腸の中に生息し続け、お互いに影響しあっているのです。

また、細胞の中には、ミトコンドリアという構造があります。ここで酸素を使い、エネルギーをつくっていますが、これは酸素を使える菌との共生の結果、生まれたと考えられています。そして、ともに機能的に共進化し、ミトコンドリアのおかげで効率よくエネルギーを産生する一方、ミトコンドリアは細胞のほうでつくる分子を利用して、その構造と機能を維持しています。

今年、突然流行しだした新型コロナウイルスをまるで悪魔のようにいう人がいますが、昔はこのような感染が通常に起きていたと思われます。なぜなら私たちの遺伝子にはウイルス感染の痕跡がたくさんあります。

しかも重要なことは、ウイルス感染は、私たちの進化を集団で一気にもたらした立役者と考えられています。私たちのＤＮＡのほとんど（98％）は蛋白をコードしていませんが、そのコードしていない領域には遺伝子のオン・オフを絶妙に調整する配列があり、それはウイルス由来と思われるものが多いのです。

また、胎児の胎盤形成に使われている遺伝子もウイルス遺伝子由来であることは有名です。私たちはウイルス感染によって、新しい機能を獲得し飛躍的に進化してきたことは事実のようです。

このようなことがわかってくると、私たち1人ひとりも、他の生物と共に進化してきた結果であり、意識しようがしまいが、大きな生態系に影響を与えている存在です。

お釈迦様の時代、あるいは般若心経が生まれた時代は、生物によって見える世界が異なることもわかっていませんでした。また、進化のことも、生物同士の共進化していることもわかっていませんでした。苦しみからの解脱が関心であった時代のように思います。

現在、生態系が人類の手によって破壊され、環境破壊の結果として来るであろう、より大きな苦しみが、これまでと同じ生活をしたときの人類の延長線上にあることが予想されています。

私たちは、生物が誕生し30数億年という長い年月をかけて、共進化した末裔であり、もしこの奇跡のような生物の命を守ろうとするならば、地球や自然そのものとのつながりを実感し、生態系を守っていくということが、今の時代を生きている私たちのミッションとしてあるように思います。

鎖につながれた象

サーカスの象は、幼少の頃から杭に縛られ育てられます。そのため、行動範囲が限られています。同じように、私たちも限られた感覚器官でしか、世界を体験することができませんので、自由といっても行動範囲が限られています。しかも、体験している世界は生物によって全く異なっています。

【2章まとめ　鎖につながれた象】

サーカスの象は杭に
つながれて育てられる
もがいても杭、鎖がはずれず、
行動範囲が限られている

私たちも限られた感覚器官でしか、

世界を体験することができない

自由といっても行動範囲が限られている

第3章　自分の色眼鏡で出来事を体験している

業（カルマ）：思い込みの連鎖、遺伝、エピジェネティックス

【原文】

無眼界乃至無意識界
無無明亦無無明尽乃至
無老死亦無老死尽
無苦集滅道　無智亦無得　以無所得故

【一般的な解釈】

目に見える世界も、意識にとらわれる世界もない。無知ということもないし、無知が尽きるということもない。

老死もないし、それが尽きることもない。

苦集滅道もないし、智慧も悟りもない。苦しみも、苦しみの原因も、苦しみを制することも、苦しみを制する道もない。知ることもなく、得るところもない。それゆえ、得ることがないのであるから。

1　鎖につながれていると思い込んでいる象

私たちは思ったより自由に生きていない

「無眼界乃至無意識界」は、先ほど述べたお釈迦様のいう十八界もないということです。十八界（六根と六境によって生じる6つの認識の世界）のうち、眼識界は、脳科学ではまさに視覚野です。

これは、先ほどお話したように目という感覚器から入った刺激が脳内の後頭部にある視覚野という領域で画像を結び、さらにそれを連合野で加工されたものを像と判断しているわけです（図表18）。

同様に、耳識界は聴覚野、鼻識界は嗅覚野、舌識界は味覚野、身識界は体性感覚野、意識界は前頭前野に相当しています。

般若心経では、これらも実態としてはないと言っているわけです。脳科学的に考えてみても、私たちの見ているもの、感じているものには実態があるのではなく、脳の中の領域で起きた神経活動として、つくれられたものだということとよく一致しています。

【図表18　私たちは脳の連合野で統合されたものを知覚している】

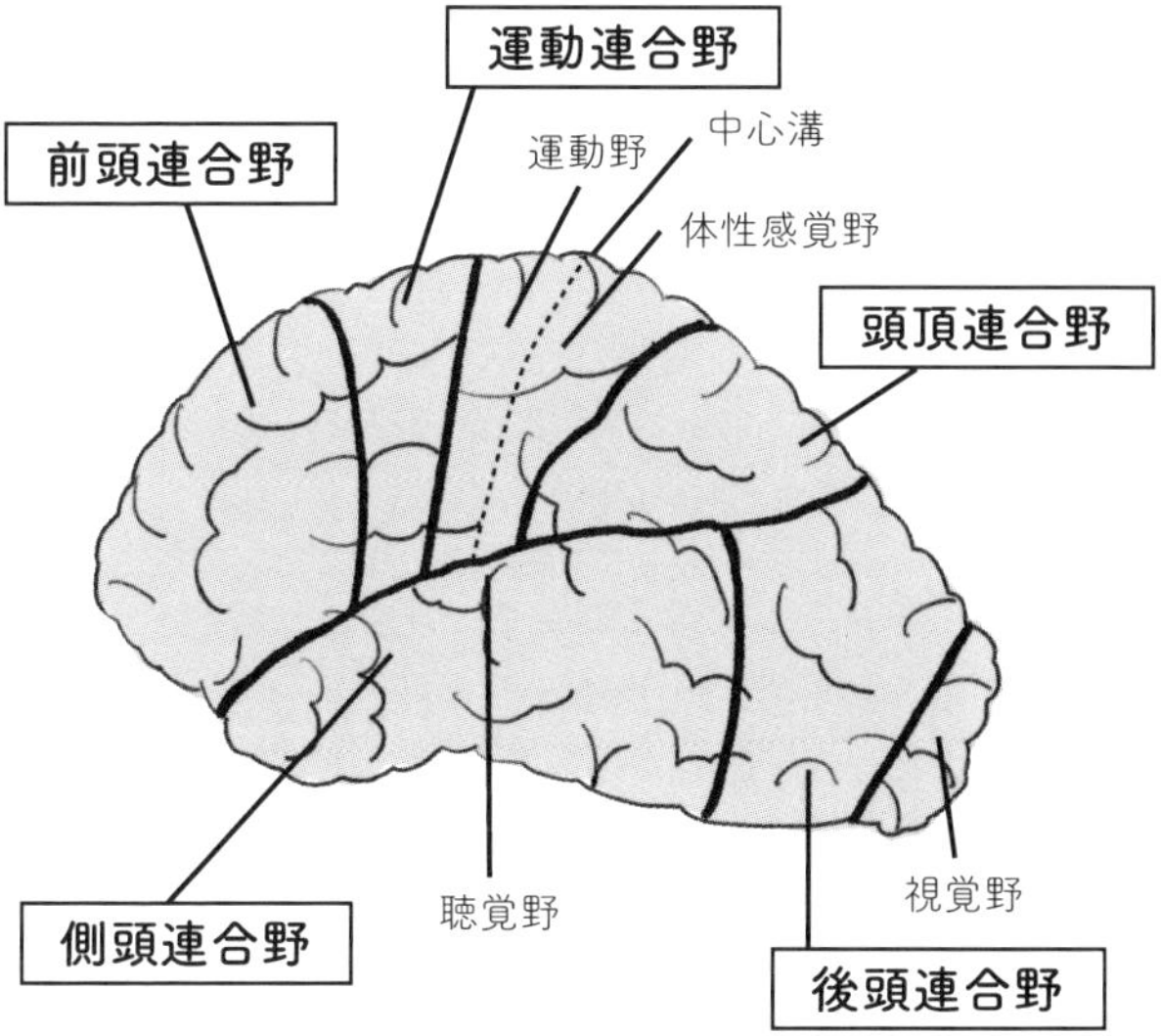

あるがままに見たり、聞いたり、
感じたりしているのではなく、
連合野で解釈して知覚している

前章では、意識界を除く感覚がすべて、私たち独自に持つ感覚器官を通して見ている世界であり、脳の働きにすぎないことを述べましたが、ここではお釈迦様のいう「意識界」について取り上げ、私たちが考えたり想像したりする心や意識の問題について、脳科学的に考えてみたいと思います。

実は、私たちは、思っているほど自由に生きているわけではないのです。しかし、そのことに気づくと、逆に人生の可能性が広げられます。

象は、鎖につながれて動ける範囲が決まっているように育てられると、鎖を外しても、そこしか動かないそうです。これは脳内で「鎖でつながれている」という思い込みの神経回路ができているからです。

脳科学では、「脳の可塑性」といって、できあがった神経回路を変えることができるということがわかってきています。それは、歳をとってもある程度可能であることも明らかとなってきています。不要となった古い思い込みを、新たな見方となる神経回路に変えることができるのです。

鎖につながれていることが錯覚だとわかると、私たちはより自由な人生を歩むことができます。この章では、このことをお話したいと思います。

2　自由意思はあるのか

意思よりも先に脳が反応する

私たちは、何か食べたいものがあると、あそこの店に行こうとか、あるいは大事な決断が必要なとき、自分で考えて決断していると思っています。しかし、本当に自分の自由意思で決めているのでしょうか？　ここでは、この自由意思の問題を扱っていきたいと思います。

有名な実験があります。私たちが手を動かして、物をつかもうとしたときの脳画像を調べたものです。手で動かそうと決断する前に、脳の運動野が先に活性化したのです。つまり、私たちが意識的に動かそうと決意する前に脳が動かすことを決めていたのです。

そう考えると、私たちに自由意思があるのかという疑問が湧いてきます。

例えば、男性に女性の容姿の好みのタイプを質問したとしましょう。なんて答えるでしょうか？　色々な答えがあるかと思いますが、その好みはどこからきているのでしょうか？

一般に統計を取ってみると、女性の肉体に対して魅力を感じるのは、ウエスト対ヒップのサイズが平均すると0・8対1という報告が出ています。なぜ私たちはそのような肉体に魅力を感じるのでしょうか？

それは、実は出産にとても適している比だそうです。また、女性でも女性ホルモンのエストロゲン（受精の準備にとても重要なホルモン）が出ているときは肌つやもよく、このときは男性に対しては、より性的に魅力を感じる人を好み、逆に受精後のプロゲステロンという受胎を安定させるホルモンが出ているときは、子育てをするような優しい男性を好むということがいわれています。

このようなことを考えると、私たちは子孫を残す、繁殖に有利な異性を好むという遺伝子が私たちにあり、そのバイアスで見ていることになります。逆にそのような人が進化上、子孫を残すうえで有利であるため、現在はそのようなタイプを好む人が多数を占めているということになるわけです。

なぜ、老女に性的な魅力を感じないでしょうか？　なぜ、昆虫の異性に性的な魅力を感じないのでしょうか？　もちろん世の中には性的な魅力を感じる人がいるかもしれません。ただ、いたとしても子孫を残すことができず、そのような好みを持つ遺伝子を持つ人は社会の中では少数派になってしまうわけです。

脳の刺激によって、次の行動が決められる

この自由意思の問題について、脳の運動野の実験例をお話ししましょう。

例えば、右側運動野に相当する脳の部位（左手の運動に関与）を頭の外から磁気刺激した後、「手を挙げて」というと左手を挙げ、「なぜ左手を挙げたか」と尋ねるともっともらしい理由を述べるそうです。逆の左側運動野に相当する脳の部位（右手の運動に関与）を刺激してもやはり逆の右手を挙げます。本当の理由は、脳の挙げる右手の運動野を刺激し、興奮させたからです。

老人の写真ばかり見せたグループでは、そうでない写真を見たグループより、歩く速度が遅くなることが報告されています。コマーシャルでスナックの写真を見たグループでは、そうでないものを見たグループより、スナックを食べる頻度が高いことが報告されています。

行動の前に、無意識に脳のどこが活性化されたかで次の行動に影響を与えます、これをプライミング効果と呼びます。

このように私たちは無意識にプログラムされていた決断や行動が、私たちは意識的に行

ったと勘違いしているのです。

では、この無意識のプログラムとはなんでしょうか？　次にその話をしていきたいと思います。

3　因縁：思い込みのサイクル、遺伝、エピジェネティックス

十二縁起のサイクル

無無明亦無無明尽　乃至無老死亦無老死尽（訳・既述）

お釈迦様は、苦しみを生むサイクルを十二縁起として仮説を立てました（図表19）。

これは小乗仏教の教理ですが、大乗仏教、すなわち般若心経では、「これもない」と否定しつつも、さらに「ないというわけでもない」と二重否定をしています。

この二重否定は、テトラレンマという考え方の1つで、「空」の思想を整理し大乗仏教の確立に大きく貢献した僧、龍樹の考え方から来たものと思われます。

【図表19　十二縁起】

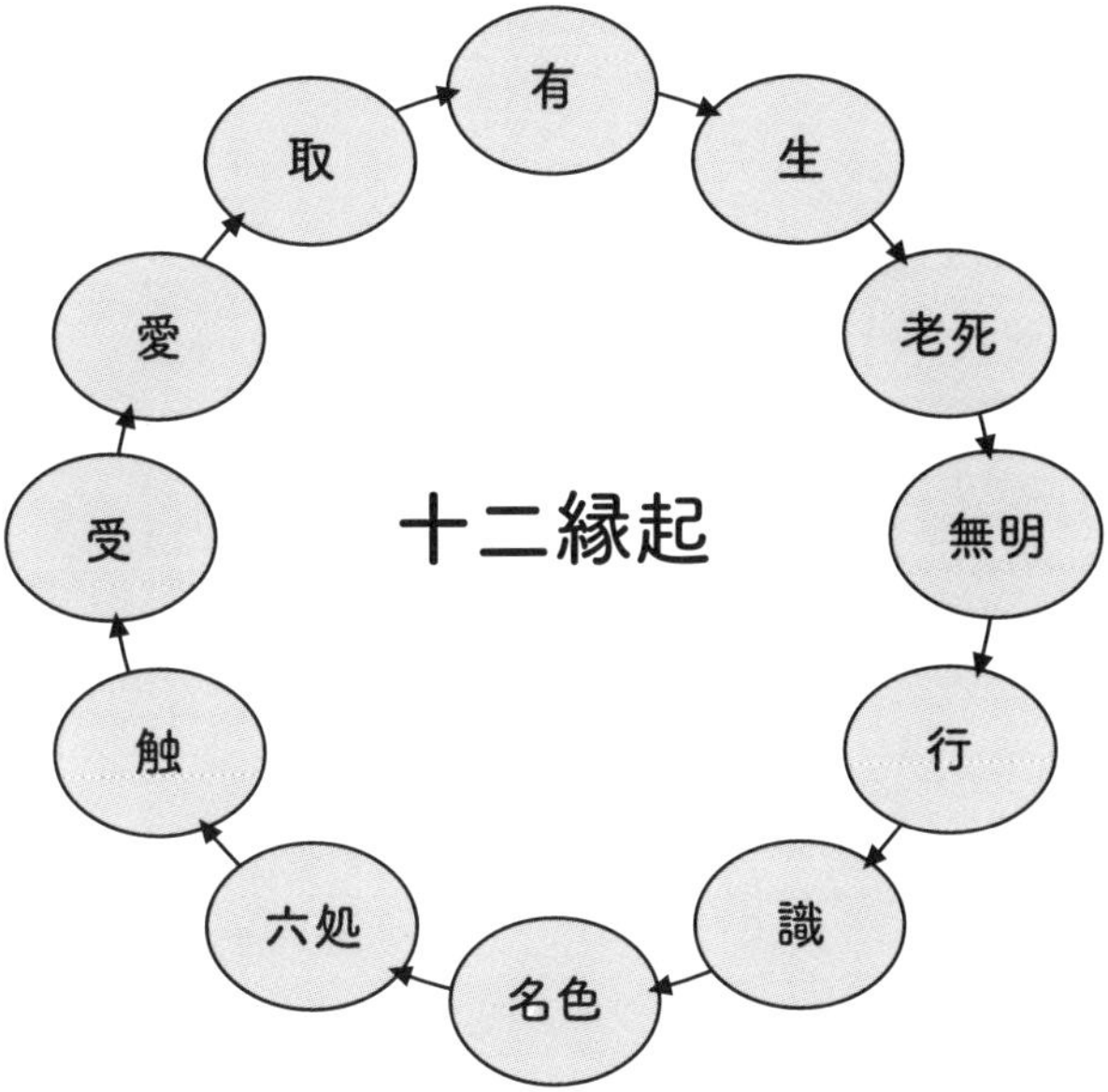

コラムで述べますが、このテトラレンマ（四句分別）の考え方は、西洋のAかBかという論理でなく、四句（「A」か「B」、「AでもありBでもある」、「どちらでもない」）を使って構成されるインド古来の思考様式で、現在のような様々な複雑な問題に対してとても役立つかと思いますので、4章コラムで詳しくお話したいと思います。

さて、十二縁起は、無明（根源的な無知）が次の間違った行いを生み、最終的の老死の苦しみを生むという因縁のサイクルを表しています。これについての詳細な説明は省略しますが、興味のある方は仏教関連の本に書かれていますので、参照してください。

仏教のいう十二縁起のサイクル（因縁）は、現在の脳科学や生化学、心理学から、対応するものとして次のように整理されると思います。

①〈思い込みのサイクル〉

無明というのは、無知ということです。私が脳科学から考える「無明」とは、たくさん情報を持っていても、偏った思い込みで自由な発想ができないことを指していると思っています（図表20）。

私たちの脳は、色々な外部の情報からの刺激を受けているのですが、脳の中にある視床

【図表20　思い込みのサイクル】

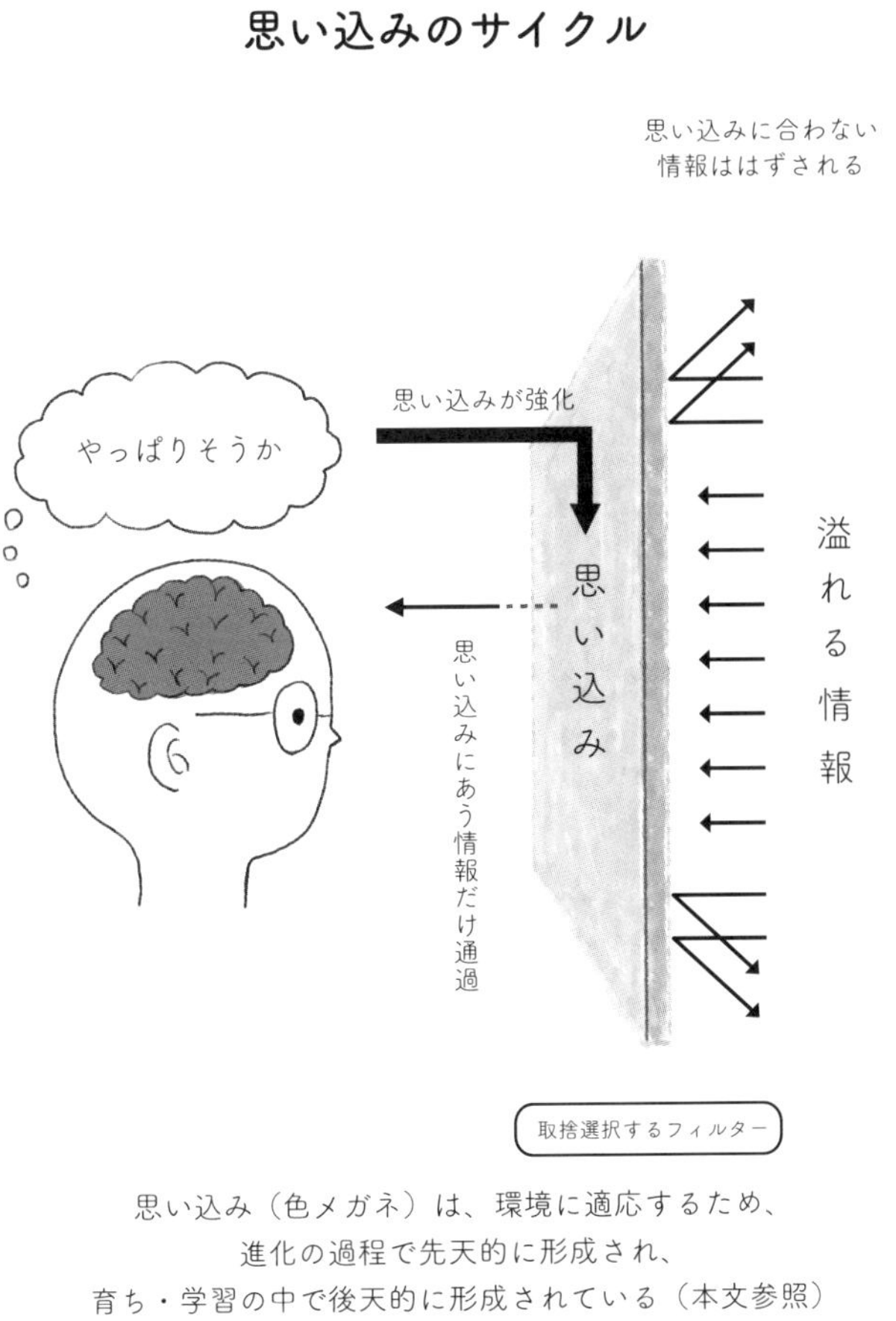

思い込み（色メガネ）は、環境に適応するため、
進化の過程で先天的に形成され、
育ち・学習の中で後天的に形成されている（本文参照）

というところで選別を受け、ほんの一部だけが新皮質に刺激が伝わり意識化されます。

刺激を抑制するGABA神経という神経があるのですが、視床でGABA神経が自分の都合のよい神経回路以外の刺激を抑制し、必要な情報だけを選別しています。

例えば、「車で青いプリウスが欲しい」といつも思っていると、道路でそればかりが情報として意識されていくのです。このいわば色眼鏡のようなものは、生存や繁殖に有利なものとして遺伝的に組み込まれているものと、後天的に獲得したものがあります。

後天的なものが「思い込み」あるいは「信念」です。無意識の癖、メタプログラム、メンタルモデルなどの言葉も使われていますが、ここではそれらすべてを指し使わせてもらいます。

これは、育ちの中で、「生存や繁殖に何らかの有利に働いた」「役に立った」と判断したものが記憶されたものです。この思い込みがあると、それにそう情報だけを選択し行動を起こすパターンをとります。

例えば、「私は悲劇の主人公だ」という思い込みがあるとします。これは思い通りにいかなかった自分を環境のせいにして、苦しみを和らげるのに役立った思い込みかもしれません。

このような思い込みがあると、多くの情報のうち、自分が悲劇になるようなことを選択し、それに従って行動し、期待どおりの結果を得ると「やはりそうか」と、その思い込みを強化していきます。

また、逆に「私は、人生のヒーローだ」という思い込みがあると、そのように物事を解釈し、行動し、その結果で思い込みを強化していきます。これが思い込みの連鎖です。

なぜ人は思い込むのか

では、なぜ人は思い込むのでしょうか？

これは進化心理学的な解釈があります。もし命が奪われるような危険な体験をしたとき、次に同じようなことが起これば、これは危ないと過去の思い込みで対応する生物と、何も思い込みがない生物のどちらが生存確率は高いでしょうか？

過去と同じような出来事１００回のうち、99回が生存に関係がなかったとしても1回でも生存を脅かすのであれば、思い込んで対応する生物のほうが、生存確率が高いということがわかると思います。

生物は生存確率が高いものが生き残っていきます。私たちに思い込みがあるというのは、そのような生存をかけた生物の知恵の結果と考えられます。

このような思い込みは、進化の中で環境適応として遺伝子レベルで先天的にあるものがあります。また生まれてから発達や育ちの中で、また学習の中で後天的につくられていく思い込みもあります。

現在、後天的に獲得された思い込みなどの条件づけは、次に述べるエピジェネティックスと呼ばれるメカニズムで獲得されることがわかってきています。

②〈ジェネティックス（遺伝）とエピジェネティックス〉のサイクル

「カエルの子はカエル」「氏より育ち」という言葉があります。

前者は、姿や性格はすべて遺伝子によって決定されているという意味で、後者は育ちによって変わりうるということを指しています。

物事の悪い面を見る癖、あるいはよい面を見る癖のような認知のバイアスや性格は遺伝子によって決定されて変わらないのでしょうか。認知バイアスに関しては、遺伝的要因も確かにあり、日本人はネガティブバイアスがかかるタイプが多いことが報告されています。

しかし、一方で、育ちや環境によって変わることができることも、最近の科学で明らかになっています。すなわち、「カエルの子はカエル」「氏より育ち」どちらも正しいことが明確に示されてきました。特に後天的に育ちや環境によって変わるメカニズムがわかり、これをエピジェネティックスと呼んでいます。

例えば、スペインの国立がんセンターの一卵性双生児について詳しい解析では、本来遺伝子は全く同じ双子にもかかわらず、育ちや環境によって性格も違ってくることがわかりました。

本来遺伝病で病気になるはずのものがどちらか一方は病気にならず、生活環境によって健康状態や性格までも違いが生じることが明確に示されています。ある遺伝子のスイッチがオンになるかオフになるかは、環境によって変化するのです。

このエピジェネティックスのメカニズムとして、育ち・環境によってＤＮＡにメチル基が入ったり、あるいはＤＮＡを取り巻くヒストンという蛋白質がアセチル化などの修飾を受けることで遺伝子のオン、オフが決まったりするということが明らかとなっています。

胎児期の環境も思い込みに影響する

また、これは生まれてからの環境ばかりでなく、胎児期の環境も重要であることも明らかにされています。

例えば、妊娠中にダイエットして生まれた子どもは、生活習慣病になる確率が高いことが知られています。この説明として、胎児のときに栄養が行き届かないと、胎児は世界が飢餓期であると認識し、栄養の吸収がよくなるよう胎児期に備えるように働きます。

そのため、誕生後、通常の人に比べて、同じ蛋白を食べても脂肪として貯蔵する能力が高くなり、肥満になってしまうのです。

また、マウスの実験で、母子分離にすると、攻撃的マウスが生まれることが知られています。母マウスによって、オキシトシンが産生されるように愛情深い育て方をしないと、これも周りが敵と判断し、子マウスは攻撃的あるいは、臆病に育つのです。周りに敵が多いと、むしろ、このような性格の方が生存や繁殖に有利なのです。

ところが、愛情深く育てられていないマウスでも、オキシトシンがよく産生されている愛情深いマウスに囲まれ育てられると、そのマウスは、再びオキシトシンがでるマウスに変化したのです。

環境や育ち、あるいは考え方を変わると、遺伝子のオン、オフを変えることができることが分子レベルでわかってきたのです。

4　老化と死について

私たちは永遠に生きられない

> 無老死亦無老死尽（訳・既述）

私たちの細胞が分裂するごとに遺伝子の長さが短くなっていきます。

つまり、私たちは永遠に生きられる存在ではないということです。遺伝子の末端は、何もコードしていないテロメアという領域があり、短くなっても大丈夫なような構造をとっています。

本に例えると、内容の文章以外にはじめは内容のないただの文字の羅列だけのページがあり、１日ごとにそのページがなくなるようなイメージです。そして、日が経つと内容のページが消えはじめます。

このように、私たちは、遺伝子が短くなっていくという点で死ぬべき運命にあります。

しかし、分子レベルで見れば、例えば、赤血球は120日ですべて新しい分子からなる赤血球に変わります。また私たちの肉体をつくっていた分子は、ほぼ3年で入れ替わっています。私たちの肉体がなくなっても、構成していた原子は、地球上で循環しています。つまり、原子レベルで見れば、死んでも構成している原子は残ります。

老化・死はすべての生物にあるものではない

生物の戦略として、食料など生きていくために必要なリソース（資源）が限られている場合、個としての生存と集団としての生存を維持するには、古いものが新しいものに変わっていく必要があります。

私たちの身体機能は、ほぼ生殖以降、衰え死で消えます。ずっと私たちが若いままでしたら、人口爆発するでしょう。

死は限られた資源の中で、私たちが生き残るための生物の適応です。老化に関しては、現在、酸化ストレス、糖化、ホルモンの減少、遺伝子の短縮などの原因が突き止められ、さらに長寿遺伝子などの発見もあり、老化の速度はある程度コントロールできるようになってきています。

老化の予防法は確実に進歩してきており、もうすぐ、健康のままで１２０歳くらいまで生きられる時代が来るかと思います。また、一方で、ハダカデバネズミやアホウドリなど老化しない生物も発見されてきており、老化そのものも、どんな生物にも起こるものではないことがわかってきたのです。

さらにベニクラゲは、死ぬこともなく若返りの生存戦略をとっていたのです。すなわち、老化や死でさえも、進化の過程で生まれた人類の生存戦略であり、絶対的なものでなく、変化しうるものであることが明らかになりつつあるのです。

しかし、現在の人類にとって、死は種としての生存を維持するうえで必要な出来事となっています。そして、死を恐れる気持ちは誰にでもあり、それから逃れようとする、死を恐れる気持ちが、私たちの生存を守っています。

もし、人類全体が死を恐れなくなったら、人類は滅びるでしょう。何故なら、生存への執着がなくなるため、命の危機に直面しても恐れることがなくなり、生存が維持できなくなるわけです。

また、死は、生物を進化させる担い手となっています。より環境に適応できる遺伝子を持つ子孫をつくっていくために必要な生存戦略になっているわけです。

老化や死に対する思い込みを変えてみる

老化や死への恐れは誰にでもありますが、それを今をより積極的に生きる思い込みに変えることが可能です。

私たちは生きている間は、死んでいません。不安や恐れを感じているときは、不安や恐れていることは起きていないのです。私たちは現実に起きていないことを頭の中で考え、恐れたり、不安になったりしているのです。

だから、生を充実させるために、老化や死を、今をよりよく生きる言葉やビリーフに変えることができます。

例えば、インドの独立運動の父、ガンジーの言葉に「明日死ぬかのように生き、永遠に生きるかのように学びなさい」と人々に教えました。

また、マックの創始者である、スティーブ・ジョブズも「毎日をそれが人生最後の一日だと思って生きる」という言葉を残しています。また、逆に、今日は残りの人生の最初の1日だと捉えると、新しい人生の希望にもつながっていきます。

死に対する恐れや不安は、このようなビリーフに変えると、よりよく生きるために役立ちます。

5　脳の誤作動：生物の生存戦略としての苦しみ・喜び・執着

四諦とは

無苦集滅道　無智亦無得

お釈迦さまは、苦しみの原因とそれを超えて悟る道へ行く方法として、次の四諦という教えを説きました。

①苦諦：人生は苦である。
②集諦：苦の原因は煩悩（欲望や執着）にある。
③滅諦：苦すなわち煩悩を滅した境地が悟りである。
④道諦：悟りへいくための正しい道は八正道である。

般若心経では、空という視点から、お釈迦さまの説いたこの四諦もないし、そもそも悟りもないし、それを得るということもないと言っているのが冒頭の文です。

そもそも、生物が生存・繁殖のために適応した結果として、生まれた脳の神経回路として「苦しみ」「喜び」が生まれたわけですから、もともと実体はないのです。ここでは、脳科学から、この四諦について考えてみたいと思います。

①〈苦諦：人生は苦である〉↓（脳科学的な見方）苦しみがあるから、今私たちはここにいる

人はなぜ苦しむのでしょうか？

先ほども述べましたように、生物は与えられた環境の中で生存や繁殖に有利なものが、代々、この世界に生きているということです。私たちが苦しんだり、喜んだりするのも、これも生物の生存戦略の1つなのです（図表21）。

地球の歴史は45億年といわれています。30億年前に単細胞生物が生まれ、10億年前にようやく多細胞生物となり、その後、恐竜時代が数億年間続き、ほ乳動物、そしてホモ・サピエンスが生まれたのは、つい最近で20万年前です。

常に厳しい自然環境や捕食から逃れるのが通常の生活でした。もし、生存を脅かす事態に出会ったとき、怖いとか苦しいとか思って逃げるか戦うかしなければ生き残れなかったのです。

【図表 21　人類の生存戦略】

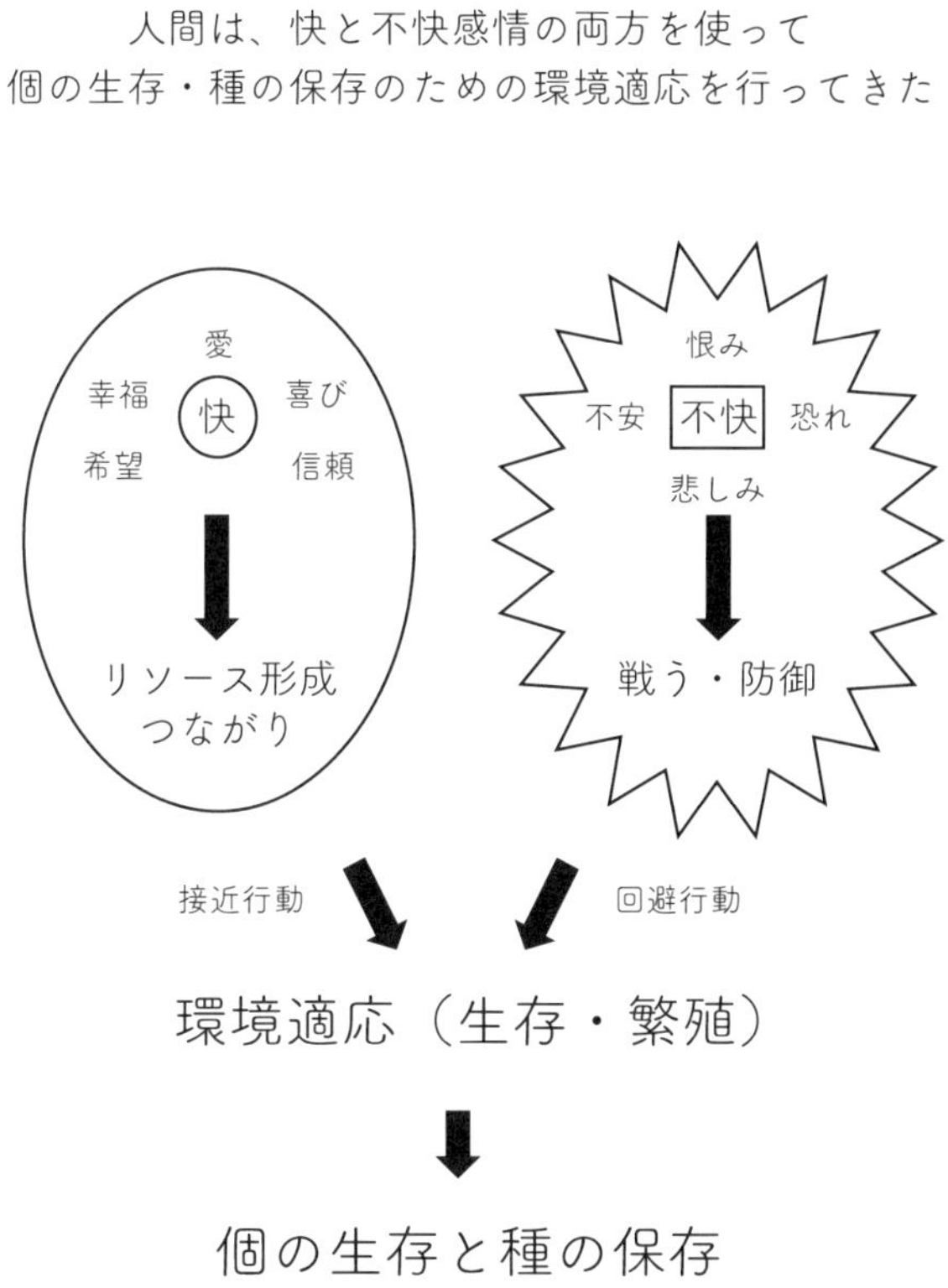

拙書『生きるスキルに役立つ脳科学』図表 15 より

また、逆に生存に有利な食べ物があったとき、美味しいと思ってもっと得ようと思う生物とまずいと思って食べない生物とどっちが生存に有利でしょうか？　私たちは、生存に有利なものや繁殖に有利なものを獲得することに執着するようにできているのです。

私たちは集団の中で評価されなかったり、無視されたりすると、辛くて苦しい気持ちになります。それは私たちの祖先が集団で危険な環境の中を生きていたからです。かつて集団から外れること＝死だったことから、仲間外れにされることが辛い気持ちになるのです。もちろん中には、集団の中に入らず、１人のほうが好きな方がいるかもしれません。それは周りが敵だと判断したときには、そのほうが有利だったわけです。

このように、私たちの生存を脅かすものが苦しみです。もっとも、現在、私たちは、生存にさほど致命的でない環境のもとに日々の生活を送っています。それでも、失恋や集団から外れたときに、私たちが長い間に遺伝子レベルで養われた生存戦略が働き、苦しみを生むのです。

しかし、死や繁殖に直結しないことだと理解すると、そのような苦しみの感情が湧いてきても、考え方・見方を変えると気分が前向きになり、新たな展開や発見に結びつくのです。むしろ、苦しみが新たな展開のリソースになっていきます。

　また、私たちは新しいものにチャレンジするときに、チャンレンジの心と同時に、不安を抱きます。私たちの祖先は、新しい世界は、新しい資源を得る可能性と同時に未知の危険に遭い、命を落とす可能性もあったわけです。だから、私たちは挑戦する心と不安な心があります。

　どのくらいの比かは、個人によって異なります。育ちや学習によっても変化していきます。もし命に関わらない新しいことであるならば、勇気をもってチャレンジしていくと新しいリソースに出会っていきます。

　では苦しみや不安になったとき、どのようにしたら前向きな気持ちに変えたらよいかは拙著「生きるスキルに役立つ脳科学」を参考にしてみてください。

　その他、多くの啓蒙書にも書かれているかと思います。

②〈集諦：苦の原因は煩悩（欲望や執着）にある〉↓（脳科学的な見方）欲望・執着は私たちの適応戦略に必須。しかし、それが過剰だと問題を引き起こす

　仏様は、苦の原因は、煩悩（欲望や執着）にあるといいました（集諦）。

　では、なぜこのような感情があるのでしょうか？

生物学の視点から、生物の生存目的は、遺伝子の拡散にあります。遺伝子を子孫に受け継いでいくことです。なぜ遺伝子の拡散が目的かと言われたら、遺伝子を子孫に残すことが他より優れている生物が優勢になっていくので、長い進化の過程を生き延びた生物は、皆それを目的としているということになるわけです。

生物を細胞レベル、物質レベルで、その調節機構を調べていくと、生存のための巧妙な仕組みに驚かされます。生存・繁殖を超えて、生命には大きな目的があるのかもしれませんが、このことは現代の科学では明らかにはされていません。

さて、先ほど、生存や繁殖に有利なことに出会うと、「快」という感情、つまりそれが湧くとそれを求める行動を生む快感情が湧くと述べました。

もしそうであるならば、遺伝子拡散が生物の目的として、その快感情は永遠に続いたほうが遺伝子拡散に有利でしょうか、それとも一時的な感情のほうが有利でしょうか？　いかがでしょう？

答えは、一時的なほうが有利と思われます。なぜなら、もし、快感情が永遠に続くものであるならば、必要な食べ物、あるいは繁殖も一度得たら、さらにそれを求めないでしょう。

それは遺伝子拡散をする目的には不利です。一時的な感情であるがゆえに、改めて欲しくなり、個体の生存や遺伝子を拡散のための行動をするのです。

これが生物学から見る欲望で、実際、求める意欲に関する脳内ホルモン、ドパミンは一過性にしか産生されません。そして少なくなると、またドパミンを求めるように行動するよう仕組まれています。

資源、あるいは出会いの機会が制限されている昔の時代であれば、欲望を持ち続けるという執着がなければ獲得できないわけです。それが進化心理学的な執着の解釈です。

欲望や執着は、誰でもが遺伝的に持っていますが、それが強すぎると、得ることができない苦しみや他人への迷惑行為、中毒症状の弊害を生むわけです。覚せい剤や麻薬は薬物でそれを引き起こしてしまったものなのです。

③〈滅諦：苦すなわち煩悩を滅した境地が悟りである〉↓（脳科学的な説明）「今・ここ」への集中や「気づき」が苦しみをうむ扁桃体の活性を和らげる

お話したように、煩悩（欲望・執着）は、生存や繁殖のための環境適応として備わったものですので、煩悩が消えていったら、人類はいなくなるでしょう。

ただ、人間には、煩悩を適度な強さにコントロールできる能力を持っていることがわかってきました。次にその話をします。

まず、最初に私たちの脳は、煩悩を含め、妄想（現実に起きていないことが頭に沸く）する動物であることをお話したいと思います。

私たちの脳は、神経回路が常に揺らいで存在しています。神経は、神経同士がつながっている場所があり、シナプスと呼ばれています。脳の中では、1つのシナプスにだいたい1万個くらいの神経とつながっているといわれています。図表22の写真で示すように、その中を常に刺激が回っているのです。

身近なものに例えると、電車を思い浮かべてください。例えば、東京駅には、地下鉄線、JR山手線、中央線、新幹線などいくつもの鉄道の中継地点となっています。この中継地点をシナプスと考えてください。そして、通常は、常に電車が時刻表通りに発着しています。それと電車が走っているように、神経も常に色々な方向に刺激が伝わっています。

神経は自律的発火（電車を常に走らせている）をしていることが明らかになっていて、それは、脳の切片を培養しても起きているのです。

これは進化から生まれた神経細胞の性質なのです。色々な経路を常に刺激が伝わっていることを「揺らいでいる」という言葉を使うこともあります。

【図表22　神経回路は常にゆらいでいる】

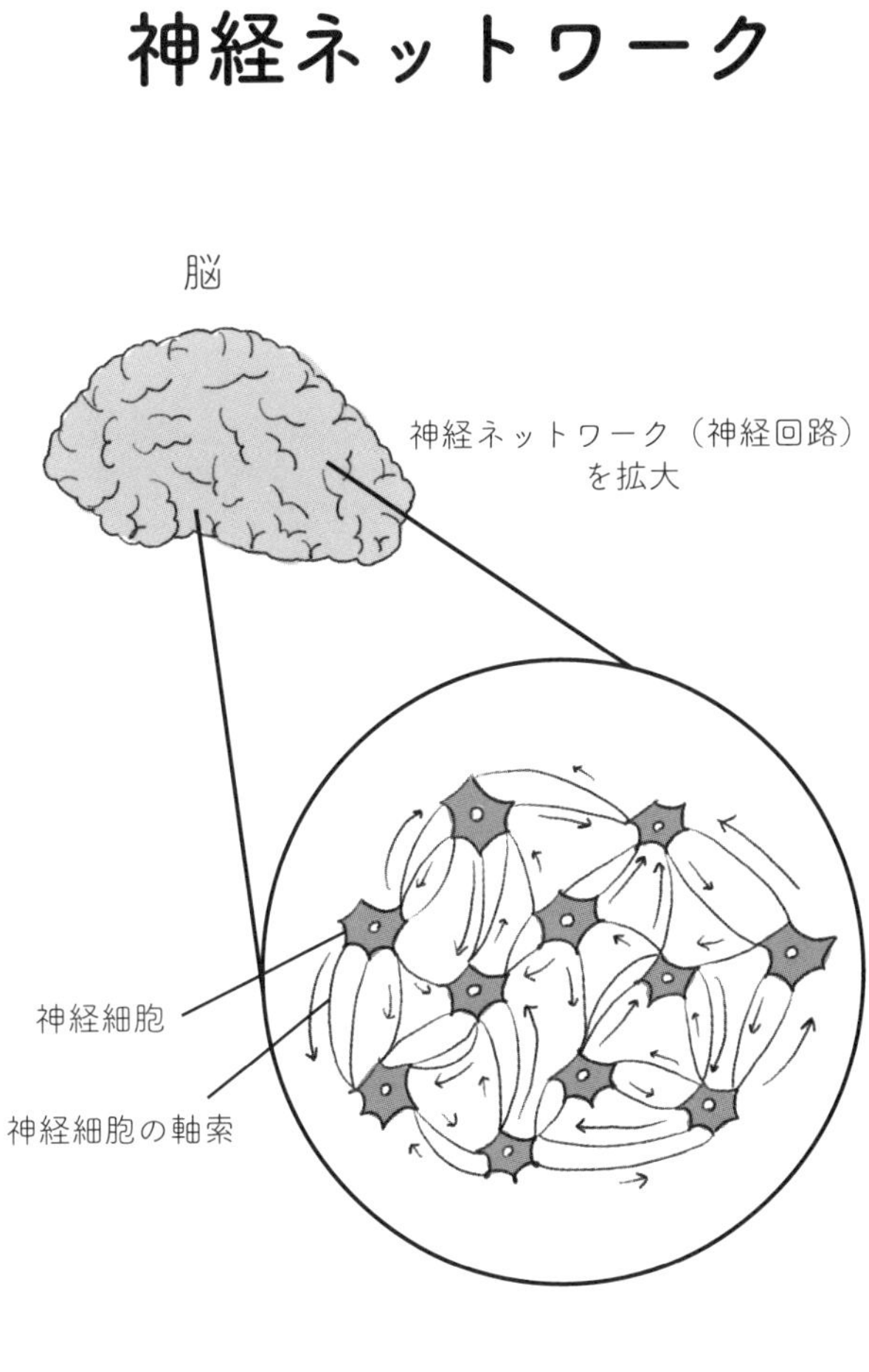

【図表 23　ルビンの壺】

花瓶に見えるか、人の顔に見えるか

図表23を見てください。これは花瓶に見えますか？　それとも人の顔に見えますか？　どちらか見えたほうで、じっと見続けて見てください。どうでしょうか？　花瓶か顔かどちらかで見続けられたでしょうか？　通常、顔になったり花瓶になったり、揺らいでしまいます。私たちの神経の刺激の流れは、常に揺らいでいるのです。

その生物学的意味は、1つの解釈として、常に一番適切な経路を探していて、それが見つかれば、すぐその経路に情報が伝わるにようになっていると考えられるのです。

東京から大阪に行くのに、電車は常に色々な経路を走っていて、例えば横浜で事故が起きれば、いったん日本海側に出るルートで行くなど、臨機応変に対応できるようになっていることと同じです。

他の例えでは、グーグルの検索を常にしているようなイメージです。そして必要な情報があれば、すぐ、そこをクリックして情報をとりにいくというわけです。

このような仕組みも厳しい環境の中を生き残るための生存戦略でしょう。脳波は、神経の電気活動（発火）を示していますが、刺激の強さや伝わる速度を表しています。意識があるときはβ波と呼ばれる脳波の状態ですが、これはある意味で色々なことを考えている煩悩の状態ということになります。

ただ、その煩悩があるおかげで、色々なことにすぐ対応して反応できるのです。そして、また、「今・ここ」に集中すると、それぞれの神経細胞の発火が同調してきて、脳波はβ波に比べて、α波は時間あたりの電気活動がゆっくりになります。

煩悩や雑念を少なくする方法

煩悩や雑念を少なくする1つの方法は、「今・ここ」に集中することです。脳波がα波にならないと「今・ここ」に集中できませんし、また「今・ここ」に意識を向けることでα波の脳波になっていきます。α波はとても落ち着いた気分のときに出る脳波なのです。

また、苦しみや不安を感じる脳の部位は扁桃体です。これは後述する大脳辺縁系の中にあり、左右一対あります。ここが反応すると私たちは不安や恐れを感じ、自動的に敵から身を守るため、「逃げる・戦う」あるいは「固まる」という自己防御の反応が起こります。

「固まる」というのは、危険な敵から身を隠す、あるいは死んだ真似をするという自己防御だと考えられています。多くの動物たちは、実は死んだふりをする防御システムを持っているのです。

死んだ動物は腐っていたり、毒で死んだ可能性があったりするため、すでに死んだ動物は食べる対象になっていないのです。オポッサム（フクロネズミ）は、犬が近づくだけで、すぐ死んだふりをするのは有名で、英語で死んだふりをするという慣用句は、play possum と表現されています。

さて話を元に戻しますが、扁桃体が活性化すると、私たちは苦しみ、不安、恐怖を感じ、その結果、「逃げる」「戦う」「身体が固まる」のどれかの身体反応が自動的に出る仕組みになっています。しかし、逆に扁桃体の活性が和らげば、私たちは、苦しみ、不安、恐怖を感じることがないのです。

扁桃体が傷ついたサルは蛇を恐れず、つかんで食べてしまいます。また、アメリカでの話ですが、急に凶悪犯罪に手を染めた青年の脳を調べたところ、扁桃体にがんが見つかったのです。

恐れや不安は扁桃体の反応です。この反応がなければ、人間は捕食や自然災害から生き延びてこれなかったのです。しかし、現在、生存に関わらないことにでも、脳が誤作動を起こし、未知のことや失敗あるいは集団から外れることに不安、恐れを感じてしまうのです。　未知の体験や失敗、あるいは集団から外れることは新しいリソースやつながりをもたらすチャンスでもあるわけです。

この扁桃体の反応を和らげるには、「今・ここ」に集中する方法があります。扁桃体で活発だった神経活動から、「今・ここ」を体験する神経回路の神経活動に変わるからです。また、不安や恐れを感じている自分の気持ち、身体状況に気づいていくこと、そうすると同様に、扁桃体の神経活動から後述する気づきの脳に神経活動が移り、扁桃体の活動が弱まっていきます。

さらに、般若心経の最後に出てくるマントラや瞑想を深めていくと、脳活動は静まり、扁桃体の活動も落ち着き、もはや苦しみのない「滅諦」が起こる状態と考えられます。

④〈道諦：悟りへいくための正しい道は八正道である〉↓〈脳科学的な見方〉身体、言葉、心は相互作用をしている。心を整えるには、心身ともに整えることが必要

お釈迦様は、悟りへの道として、八正道を説きました。

八正道の内容は、正見（正しい見解）、正思惟（正しい思考）、正語（正しい言葉）、正業（正しい行い）、正命（正しい生活）、正精進（正しい努力）、正念（正しく心に留める）、正定（正しい精神統一）です。

それぞれについての具体的な話は、他書に譲りますが、これは、考え方、言葉、行動、食べ物、生活の仕方をすべて整えていくことです。

私たちの脳は、人類の進化過程をよく反映して、三層構造になっています。この視点から見ると、八正道のように、言葉、行動、食べ物、生活の仕方を整えていく必要が納得できるものです。

ここで、三層構造について説明したいと思います。

〈脳は三層からなっている〉

脳は身体に近い順から、爬虫類脳、ほ乳類脳、人間脳の三層になっています（図表24）。

爬虫類脳は脳幹と小脳で身体を無意識に世話してくれています。5億年前の動物は、ほぼこしかなかったのです。それが2億1000年かかって、ほ乳類脳ができました。

これは、大脳辺縁系で、主に快、不快の感情や記憶などを司っているところです。4つのFという方もいます（Fighting, Flighting, Feeding and Fucking. つまり闘争、逃走、食事、性交）。

ここには、快、不快の感情を司っている扁桃体や記憶を司る海馬があります。400万

【図表 24　脳の三層構造】

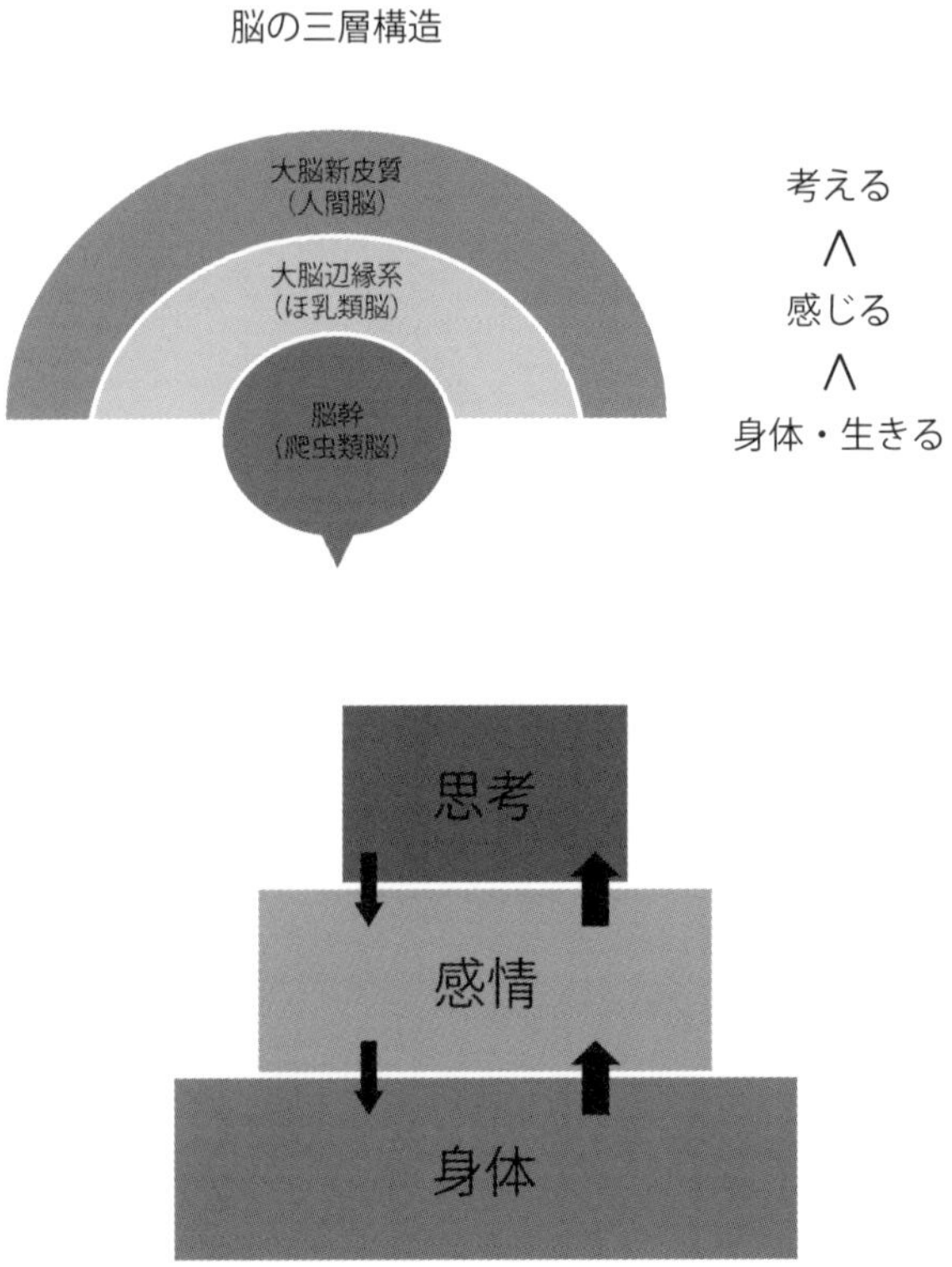

身体の状態が感情に影響し、感情が思考に影響する
思考も感情、身体に影響するが、
身体からの影響力のほうが強い

年前になり、ようやく人間脳すなわち、大脳皮質が現れます。「考える脳」です。この部位は20万年前ぐらいから急速に大きくなり、現在のホモ・サピエンス脳になったわけです。

この長い歴史からもわかるように、私たちの脳は、身体を司る爬虫類脳の時代が一番長く、ここの影響が一番強く、次に長かった時代のほ乳類脳の影響の強さが次で、最後に人間脳なのです。

人間脳ができたのは、生物の進化の時間を考えたとき、ほんの最近なのです。そして、この強さでお互いに影響しあっているのです。すなわち、私たちはいくら人間脳で理解しても、身体が納得しなければ、思いどおりの行動に結びつかないのです。

また、身体が猫背でいれば、悲しい感情が湧き、それに従って否定的な考えが生まれます。また、胸を張った背筋が伸びた姿勢だと、感情も肯定的な気持ちになり、考えも前向きになっていきます。なぜなら、身体の状態と心、言葉・思考はお互い影響しあっていることが明らかになっています（図表24）。また、この詳細については拙著「生きるスキルに役立つ脳科学」を参考にしていただければと思います。お釈迦様は、そのことに気づき、身、心、言葉、意を整えることで悟りへの道を開いたのです。

また、合わせてコラムに「苦しみ」「恐れ」「不安」反応の神経生物学的な理解として、「ポリヴェーガル理論」を取り上げました。

般若心経では、これら悟りの道も空であると説いています。

迷いや苦しみというのは、苦しみや迷いというものがあるのでなく、これまで述べたように、生存戦略の中で生まれた神経の自然の反応で、そもそも人間の脳がつくった幻で、悟りという感覚も、その実態があるのでなく、脳がつくった神経活動にすぎません。

鎖につながれていると思い込んでいる象

章の冒頭でも述べましたが、象は、鎖につながれて動ける範囲が決まっているように育てられると、鎖を外しても、そこしか動きません。これは脳内で「鎖でつながれている」という思い込みの神経回路ができているからです。

これと同じように、私たちも、育ちの中で、生存に役立ったものを一般化して思い込むように仕組まれているようです。これは厳しい環境に適応して生存するために備わったものですが、環境が変わり、もはや、役に立たなくなった思い込みで私たちの思考や行動範囲がせばめられている場合が多いのです。

次章では、この思い込みの幻から目が覚めるということについて述べたいと思います。

【3章まとめ　仔象の鎖（固定観念）】

仔象の鎖（固定観念）

仔象のときに杭につながれて育った象は、
大人になって、鎖がきれていても、つながれている時と
同じ行動範囲しか動きません
杭につながれているという思い込みの
神経回路ができあがっているからです

コラム ポリヴェーガル理論―安心と「恐れ・不安」反応の神経生物学的理解

ポリヴェーガル理論（多重迷走神経理論：poly＝多重の、vagal＝迷走神経）は、安心・安全の神経科学と言っていいかと思います（図表25）。

生物が、安心・安全を感じたとき、危機を感じたとき、何が起こるのか、アメリカ・イリノイ大学精神医学部名誉教授のスティーブン・ポージェスが提唱した理論です。

これまで自律神経（意識しなくても不随意に働く神経）には、「逃げる」「戦う」ために必要な交感神経（例えば、心臓の鼓動を高める、瞳孔が開く、血管を収縮して血液を末端に送るなど）と、「休息」や「消化」に関与する副交感神経（例えば、心臓の鼓動を鎮める、血管を開く、瞳孔を小さくするなど）があるといわれていました。

特に脳幹にある延髄から出ている副交感神経は迷走神経と呼ばれています。ところが、ポージェスは、迷走神経には、2種類（背側迷走神経、腹側迷走神経）があることを発見し、進化的に古い爬虫類には背側迷走神経しかなく、進化的に新しい哺乳類には、背側迷走神経に加え腹側迷走神経があることを見出したのです。

興味深いことに、腹側迷走神経は、社会関係と関連し、つながりによる安心を感じると活性化し、心臓や顔を穏やかにする神経です。

一方、背側迷走神経は、扁桃体で不安や恐れを感じると、体の凍りつきなどの不動化する作用があります。扁桃体で、恐れや不安を感じると、まず交感神経が「逃げる」「戦う」の反応を起こします。そして、それが通じない危機的な状況になると、背側迷走神経が活性化し、身体を不動化します。これは爬虫類によく見られる防御反応ですが、人間でも、引きこもりや不安障害などの反応もこれで説明できるものです。

一方、人との絆で安心を感じると、腹側迷走神経が活性化され、身体はリラックス、回復の方向に向かうのです。そして安心を感じたときには、「逃げる」「戦う」に働いた交感神経は「遊び」行動を引き起こす作用に変化していきます。

また、「安心」「安全」を感じ、さらに背側迷走神経による不動化が起こると、それは愛に包まれたときに起こる委ねた状態になるわけです。

本文に書きましたが、この安心・安全の気持ちをもたらすのは、オキシトシンという脳内ホルモンと関係していることもわかってきています。

以前は、身体とは別に扱われてきた心の問題も、神経生物学的に理解できるようになってきているのです。

【図表25　ポリヴェーガル理論】

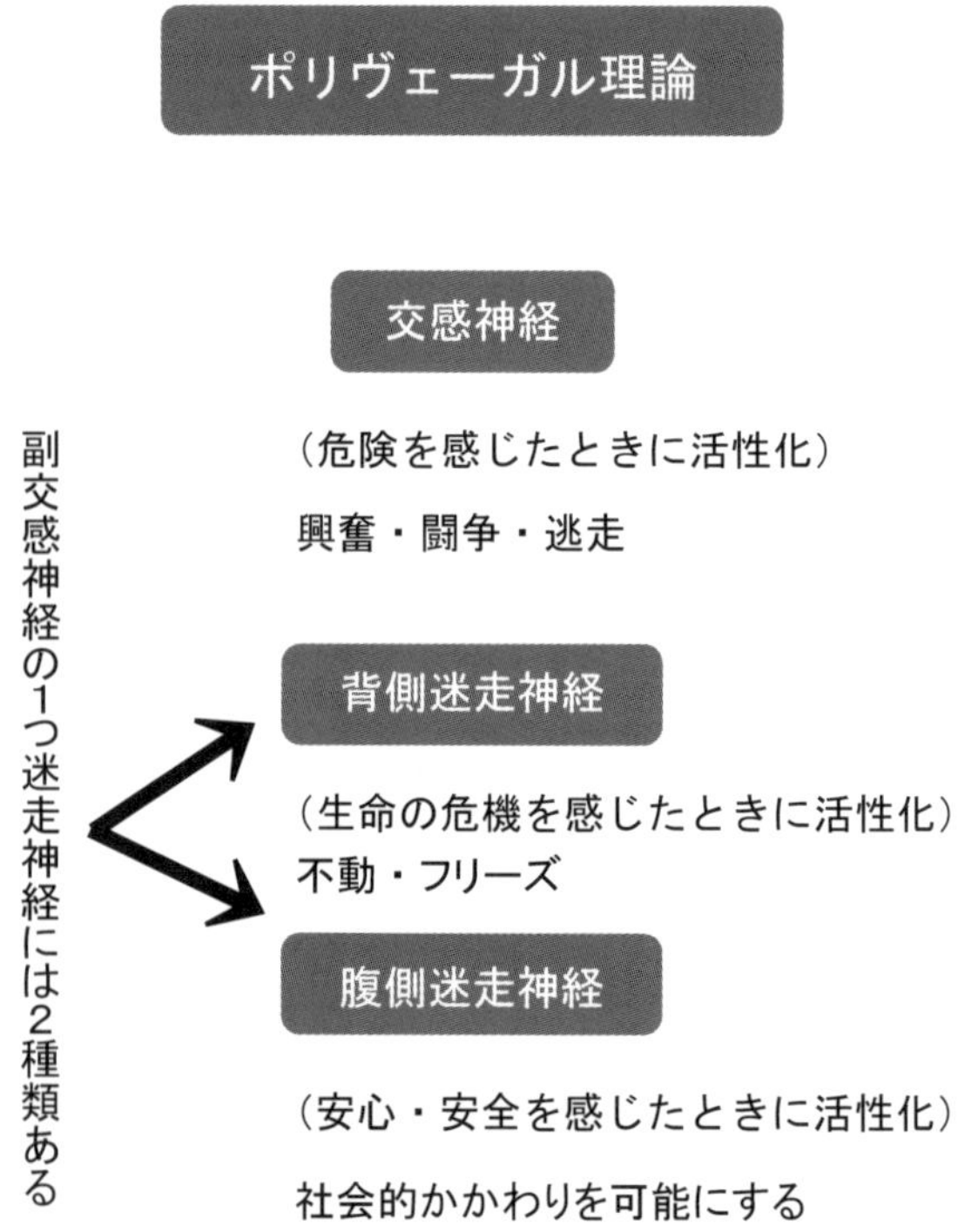

第4章　気づきによって出来事が変えられる：メタ認知革命

【原文】

菩提薩埵　依般若波羅蜜多故
心無罣礙　無罣礙故　無有恐怖
遠離一切顛倒夢想　究竟涅槃
三世諸仏　依般若波羅蜜多故
得阿耨多羅三藐三菩提

【一般的な解釈】

あらゆる執着がなく、悟りを求めて修行する者は、般若波羅蜜多の智慧によるが故に、心に何のこだわりも無くなり、こだわりがない故に恐れもなく、一切の思い込み・夢からも覚め、涅槃に到達する。

過去、現在、未来の仏様は、皆、この般若波羅蜜多により、このうえない涅槃の境地を得たのである。

1　気づきの脳

自分自身の思い込みに気づく

ここまでは「すべてが空である」ことを理知的に説いてきましたが、ここでは、般若波羅蜜多の智慧に従えば、どうなるかということが説かれています。

大乗仏教の修行に、布施、持戒、忍辱、精進、禅定、智慧の6つを実践する六波羅蜜というものがあり、般若心経は、この中の智慧（パーリー語で、パンニャー（般若））を養うためのお経です。

般若波羅蜜多の智慧とは、すべてが「空」であることを理知的にわかる「悟り」ということと、真言によって「涅槃」（次章で悟りと涅槃について述べます）の境地に達することと思います。

ここでは、この智慧を、自分自身の思い込みへの気づき、そしてすべてが「空」であるという気づきのために、自分を客観視するメタ認知（図表26）と解釈してお話したいと思います。

【図表26　メタ認知】

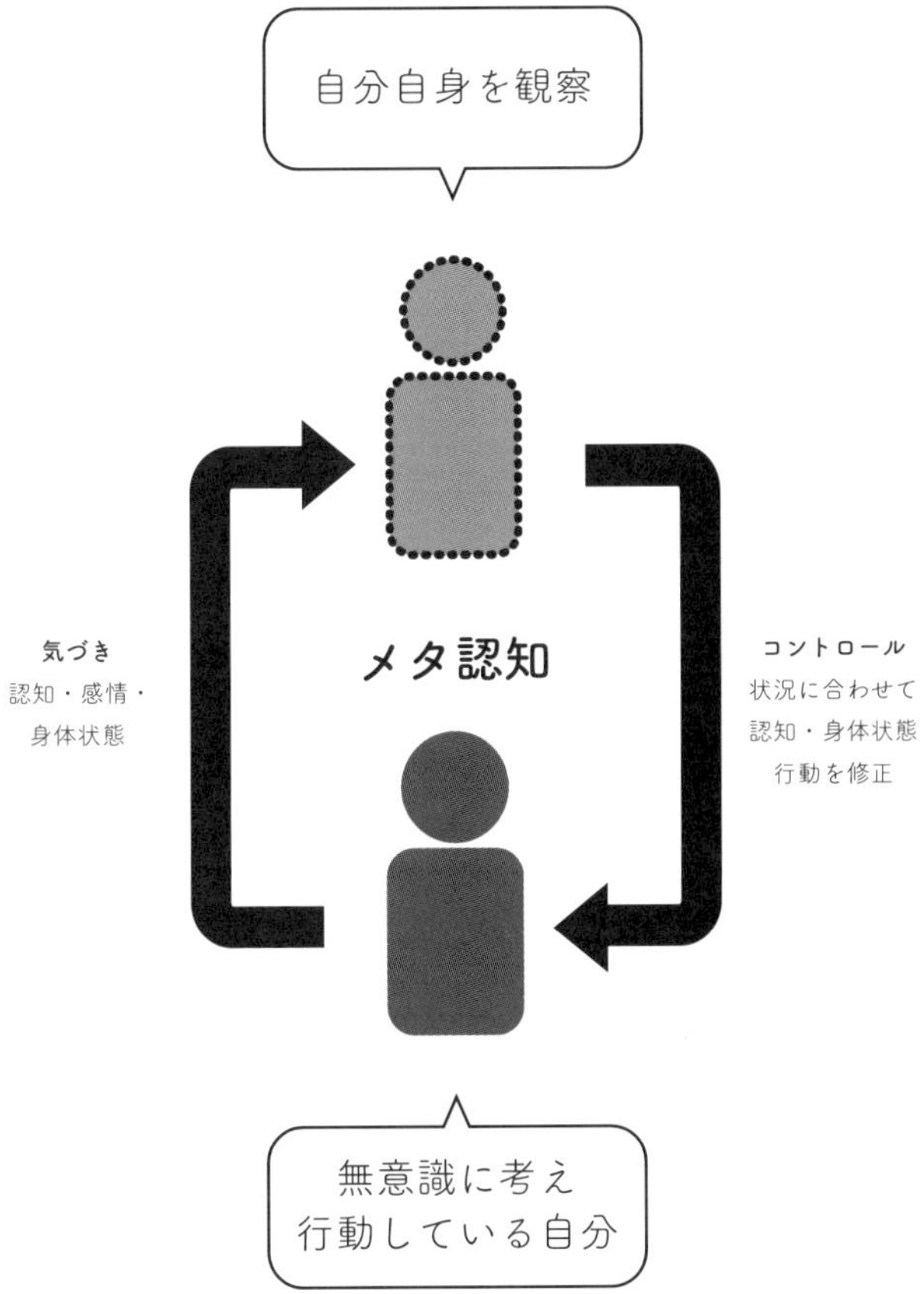
自分自身を観察
気づき
認知・感情・
身体状態
メタ認知
コントロール
状況に合わせて
認知・身体状態
行動を修正
無意識に考え
行動している自分

受容的な気づき

これまで述べてきたように、私たちは、生存と繁殖が有利になるように環境に適応し生き残ってきた末裔です。

人間の進化は、個と種の生き残りをかけて、生存を脅かす物から回避する行動を起こすため、「不安」「恐れ」「怒り」などの不快感情を使うと同時に、生存や繁殖に有利となることを求める接近行動を起こすために、幸せ感などのポジティブ感情を使いました。

特に接近行動を起こすようなポジティブ感情は認知能力や共感力を上げ、複雑な問題の解決や人類の貢献に寄与する行動をもたらすことが明らかになってきています。

人間の脳は、既述したように三層構造を取っていて、不安や怒りを感じる扁桃体はほ乳動物脳（大脳辺縁系）にあります。ここが強まると、自動的に交感神経が興奮し、また、視床下部という部位に働きかけ、ストレスホルモンであるコルチゾールが産生され、身体、思考が、「逃げる・戦う・固まる」モードに無意識的になります。

これは自己を守るために有効で、動物脳の反応は命が関わるため人間脳よりも速くて強いのです。3章のコラムで取扱いましたが、ポリヴェーガル理論を提唱したポージェスは、安心・安全を感じられると「逃げる・戦う」に使われた交感神経系が、子どもで見られるような「遊び」の行動に代わるということをいっています。そして、この「安心・安全」をもたらすのは人とのつながりであるということを述べています。

現在、必ずしも生命に関わるようなことでなくても、勝手な思い込みから不安を感じ自動反応が起きてしまうことが多くなっています。そのようなとき、自分の感情や思考への気づきがあると、この自動反応を取ることなく行動の選択を可能にしてくれます。お釈迦さまの八正道の中の「正念」というのがマインドフルネスと英訳されており、これはありのままの気づきを意味します。

自分の感情、思考によい悪いの判断なく、受容的に気づく脳が私たちにはあるのです。具体的には、「今・ここ」に気づいていくマインドフルネス瞑想をすると、帯状回の前の部分（前帯状回）と島皮質という身体感覚の気づきに関連する部位が厚くなることが報告されています。これらの部位は、気づきと関連する機能を持つ脳部位と考えられます。

帯状回は、「ほ乳動物脳」と「人間脳」の境目くらいあります。島皮質は、ほ乳動物脳の少し内部にあります。このような受容的な気づきで、起きている感情や身体状態にあるがままに気づいていくと、不安で活性化していた扁桃体が、気づき脳の神経回路の活動に移行し、不安が緩和されて、「安心・安全」な気持ちになっていきます。

このように自分自身への気づきができるようになると、私たちは自動反応から解放され、行動が選択できるようになります。

2　メタ認知革命

より高い視点から認知する

依般若波羅蜜多故　心無罣礙　無罣礙故　無有恐怖　遠離一切顚倒夢想　究竟涅槃

ユヴァル・ノア・ハラリという歴史学者が「ホモ・サピエンス全史」という本を書いていますが、その中で、ホモ・サピエンスは、1万年くらい前に言語が発達し「認知革命」が起こったと記述されています。

つまり、言語の発達により、人々はそれぞれの言葉がつくった物語を共有できるようになり、国家やお金という概念が生まれて、これによりホモ・サピエンスは、国家、お金、科学、文化など飛躍的に進んでいったのです。

このときから、自分の認識についても、「これこれこういう経歴を持った自分」など「物語としての自分」あるいは「社会的な自分」が生まれてきたと考えられます。そして、これが色眼鏡となり、色眼鏡を通した自分を自分と錯覚するようになったわけです。

私は「認知革命」以降、1万年経った人類が次の飛躍が起こしうる革命として「メタ認知革命」なのではないかと思っております。

メタ認知の「メタ」とは「高次の」という意味で、メタ認知とはより高い視点から自分自身を認知するということです。

自分自身の「思考」「思い込み」「感情」「行動様式」などを認知する、気づくことです。これまでは、自分自身でつくった思い込み、色眼鏡で、感情パターンや行動範囲が支配されていましたが、メタ認知により、自分の感情や身体感覚、思考に気づけるようになると、より自由な選択ができるということが心理学や、脳科学、行動科学から明らかになってきました。

先ほど述べた「気づき脳」がメタ認知を可能にしてくれるのです。認知革命では、我々は言葉による虚構の世界をつくることにより、我々の社会が大きく変化しました。

この虚構の世界が我々の行動が方向づけていることそのものに気づくメタ認知が、私たちの社会に次の新たな変容をもたらすと思っております。

私たちは色眼鏡をかけている

これまで述べてきたように、私たちは物事をあるがままに体験していません。錯覚や錯聴などで見られたように、私たちは、進化の過程で生存に有利なように物事を体験するよう遺伝子に組み込まれています。

また、育ちや学習の中で後天的に「うまくいった」「うまくいかなかった」という体験を一般化して、歪曲化した思い込みという色眼鏡を通して体験しています。出来事そのものをありのままでなく、進化にさかのぼってできた色眼鏡が紐づいて体験しているのです。

般若心経の智慧とは、脳科学的な視点に立つと、これら色眼鏡に気づく「メタ認知」(あるいは「気づき」)、そして瞑想による「永遠に自分」の体感のように思います。これにより、私たちは、出来事をこれまでの色眼鏡でなく、永遠あるいは慈愛の感覚と紐づいて体験できるようになるのです。

その結果、心に何のこだわりもなくなり、こだわりがない故に恐れもなく、一切の思い込み・夢からも覚め、涅槃に到達するのではないかと思うのです。

3　「物語の自分」と「今・ここの自分」

2つの自分感覚

認知革命以降、私たちが自分と感じる感覚は2つからなっています。

1つは、直接、何かを体験しているときの自分感覚として「今・ここの自分」で、もう1つは、社会や育ち、経験などからつくりあげられた「物語としての自分」を感じています。

私たちホモ・サピエンスと他の動物との大きな違いは、エピソード記憶（自叙伝記憶）という能力を持っていて、体験を物語として記憶する能力があります。それにより、過去の物語として記憶された体験から、将来起きるであろう物語を予測する能力が生まれたと考えられるのです。

エピソード記憶を持っていない動物では、今、ここを体験している感覚「今・ここの自分」だけが自分感覚なのです。

さて、この2つの自分感覚は、お互い影響しあっていて、例えば、同じ「食事を食べない」という体験でも、「お金がなくて食べられない」、「断食で食べない」、「ダイエットで食べない」など、それぞれの物語・文脈によって、同じ「食事をしない」体験が異なる感じ方になるのです。

つまり、その体験の背後にある自分の人生の物語によって体験の感じ方が異なってしまうのです。

さらに付け加えると、「自分は人生のリーダー」という自分の物語を持っていると、辛い体験でも学びというよい体験になります。逆に「自分が悲劇の主人公だ」という物語ですと、楽しい体験すらも辛いものに感じてしまうのです。

なぜ人間だけが自殺をするのでしょうか？　ある瞑想の師匠が、弟子からアドバイスを求められました。

「私は自殺したいのですが、どうしたらいいですか？」

師匠は即答しました。

「あなたは、賢明だ。毎日、同じことをやり、食べて、寝て、それの繰り返し。自殺したくならないほうがどうかしている。自殺しなさい」

そばで聴いていた弟子たちは驚きました。しかし、師匠はその後にこう言いました。

「あなたのこれまでの生き方を殺しなさい。生とは素晴らしい。祝福だ」

つまり、「物語の自分」が私たちを苦しめていて、この師匠は、今までの自分の物語を変えなさい（殺しなさい）という返答だったのです。いい物語に変えれば、とても素敵な人生に変容していくことが可能なのです。

どういう思い込みがあり、このような結果になるのか、メタ認知できるようになると、本当は自分が何を望んでいるのか、そのことにも気づけるようになります。そして、望む自分としての行動が可能になっていきます。

次章では、さらに、この「物語の自分」が消えたところにある「永遠の自分」への気づき、そして、そこにある至福、涅槃の世界についてお話したいと思います。

コラム　テトラレンマという4つの視点「困難の中にチャンスがある」

気づきがあると。異なる視点で物事を見ることができます。

ここでいう、テトラレンマとは、ナーガールジュナ（龍樹）が『中論』で説いた四段論法で、般若心経では、これが頻繁に使われています。

例えば、話は少し戻りますが、「無無明亦無無明尽乃至　無老死亦無老死尽」は「無明（無知）はないし、無明が尽きるということもない。老死もないし、それが尽きるということもない」という具合です。

ここでは、この視点について少し詳しく述べていきます。

テトラレンマとは、次の4つの視点をいいます（テトラは4つという意味です）。ジレンマは2つの異なる見方、次の1か2という見方です。矛盾する2つのことで悩むことが皆さんもあるでしょう。今、コロナ騒ぎで「経済優先か感染抑制か」という具合です。

①Aである。
②Bである（あるいはAでない）。
③AでもありBでもある（Aであることもあり、Aでもないこともある）。
④AでもBでもない（Aであることもなく、Aでもないこともない）。

①と②が西洋の論理で、左脳的、分析的な脳が活性化された判断ですが、どちらも前頭葉前野の分析的な同じ脳部位であります。ところが③になると、よくいわれる東洋的な見方で陰陽の考え方と等しいです。

それは、黒と白を混ぜると灰色になりますが、③はそうではなく、黒の中に白があり、白の中に黒があるというイメージです。

【図表 27　肯定でも否定でもある】

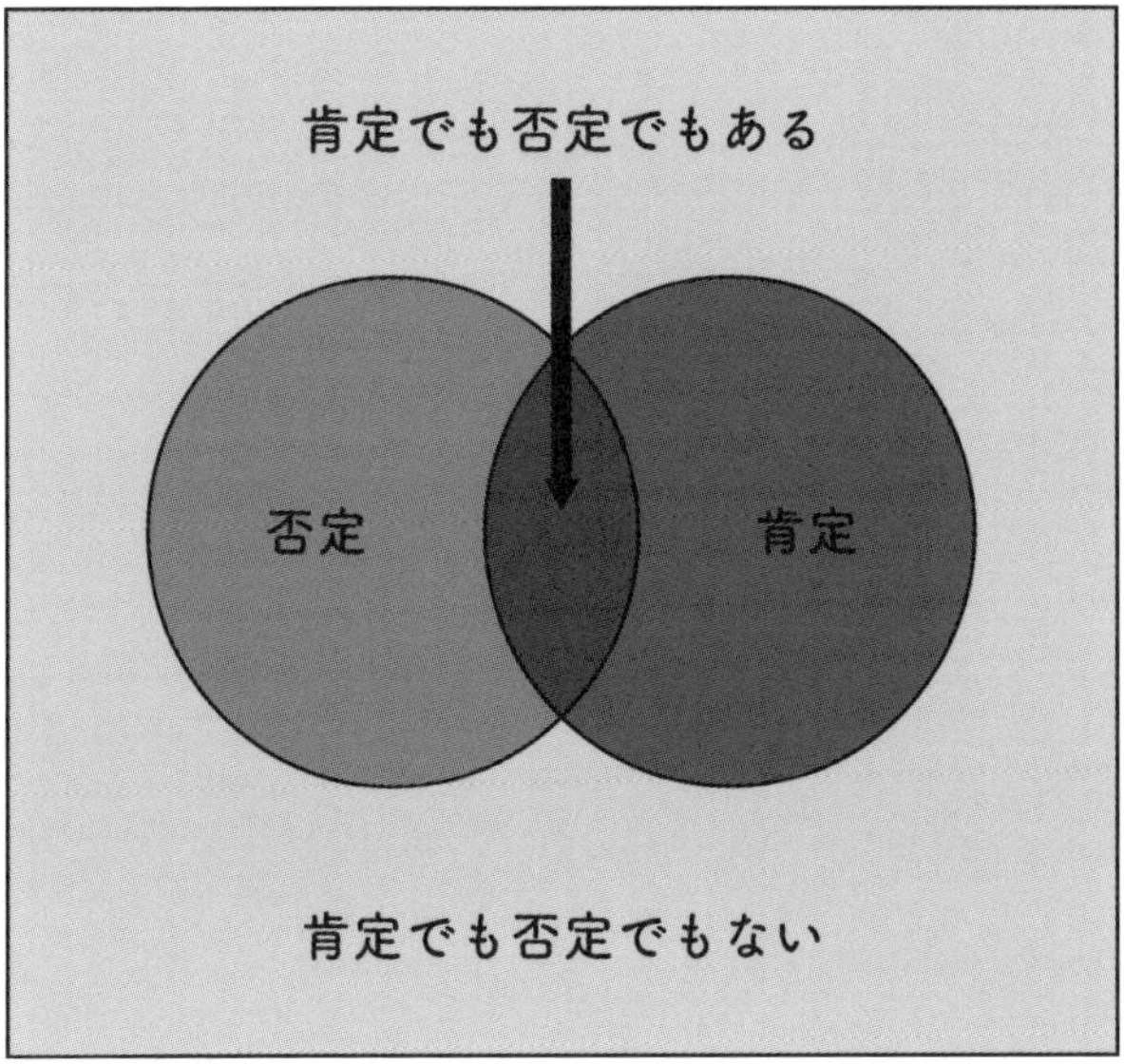

陰と陽とは互いに対立する属性を持ったものだけれど陰と陽を調和している状態を指します。「困難なときに逆にチャンスがある」「また、チャンスの中にも困難がある」ということ、理解しやすいかもしれません。

実際には、この脳では2つの異なる部位が活性化されて、この2つ異なる部位をつなげた新たな神経回路ができるイメージです。右脳と左脳どちらでも活性化されている感覚かもしれません。

このような脳の状態になるには、AあるいはBを象徴するジェスチャーあるいはシンボルあるいは音楽などで表してみます。そしてそれぞれを表してみるのです。言葉上では対立する概念ですが、ジェスチャーや象徴で2つを表してみると、脳の中でそれらの脳神経部位がイメージとして結びつき、調和する発想が生まれるのです（言葉では対立しています）。

もう1つの④は、これも東洋的な発想ですが、後述する瞑想脳です。アインシュタインは、どんな問題も、それをつくり出したときの意識レベルでは解決できないといっています。AかBかという同じ脳神経部位付近を活性化しても解決しないとき、別の脳部位であるAでもないBでもない脳神経部位を活性化すると別の解決策が生まれてきます。

瞑想脳だと、合理的な脳に自分の主体がなくなり、いいか悪いかの判断も弱まった状態で、同じ問題となっている対象が全く異なるように感じ、脳活動が変化していきます。瞑想でなくても、AでもないBでもないという④のポジションに立ってみるだけでも異なった感じ方になります。試してみてください。

私たちは迷いを生じたとき、AかBかの選択だけを考えがちです。しかし、「AかBかのどちらもあり」という選択もあれば、「AでもないBでもない」という選択もあるのです。これら4つの視点に立って物事をそれぞれ考えたとき、AかBかだけでない全く違った選択があることに気づけます。般若心経では、「AでもないBでもない」という視点を与えています。

大切なことは、まず迷っていると気づくことです。気づきがあれば、この4つの視点で物事を考えることを可能にしてくれます。

環境問題、貧困格差など多くの問題が目立ってきた現代、この4つの視点に立って考えることは、新しい視点、可能性を産むのではないかと筆者は考えています。

感染抑制でもない、経済優先でもない視点に立ってみると、コロナと共存し、経済至上主義でない生き方も見えてくるかもしれません。

【4章まとめ　鎖が切れていること（あるいは切れること）に気づいた象】

鎖が切れていること（あるいは切れること）に気づいた象

鎖が切れていること（あるいは切れること）に気づき、
いままでより動けることに気づいた象

第5章　出来事を超えた世界：涅槃と悟り

【原文】

故知般若波羅蜜多
是大神呪　是大明呪
是無上呪　是無等等呪
能除一切苦　真実不虚
故説般若波羅蜜多呪　即説呪曰
羯諦羯諦　波羅羯諦　波羅僧羯諦
菩提薩婆訶般若心経

【一般的な解釈】

故に、以下のことを理解せよ。般若波羅蜜多は、大いなる知力を持つ真言であり、最上の真言であり、比類なき真言であり、一切の苦しみを鎮める真言であり、真実であることに間違いない。

般若波羅蜜多の真言は、次のごとく唱えよ。

羯諦羯諦（ギャーテーギャーテー）　波羅羯諦（ハラギャーテー）　波羅僧羯諦（ハラソーギャーテー）　菩提薩婆訶（ボディースヴァハー）

般若心経。

（訳・往けるものよ。往けるものよ。彼岸に往けるものよ。彼岸に完全に往けるものよ。悟りよ、幸あれ。ここに智慧の完成の心を終わる）。

1　瞑想・真言について

瞑想を通じて、もう1人の自分に出会うことができる

般若心経の最後は、般若心経の神髄の部分で、マントラ（真言）がでてきます。これを唱えれば、智慧が得られるというのが最終的な結論です。マントラによって、「涅槃の境地」になるということだと思います。

これから「瞑想について」「涅槃と悟り」「生物の進化と意識の進化」についてお話しします。

そもそも瞑想とか座禅は、ヨガから始まったもので、悟り・解脱を目的とした修行法の1つだったのです。

私自身、瞑想・ヨガを30年以上実践してきたので、私自身の経験も含めて、瞑想について簡単に述べたいと思います。

瞑想は、ヨガでは宇宙と一体となる感覚「三昧」の境地、座禅では、禅定とか心身脱落、仏教では梵我一如の境地へと導くためのものです。マントラを唱えても、このような脳の

状態になることが報告されています。

現代ではマントラによる瞑想法としては、マハリシによる超越瞑想があります。脳科学的な表現では、通常の意識状態とは異なる変性意識状態の１つだと私は思っています。

先ほど述べたように、私たちには、２つの自分がいます。それは「今・ここ」を感じている自分と、「物語の自分」（あるいは社会的な自分と言っていいかもしれません）です。瞑想を通じて、もう１人の自分に出会うことができます。それは、「永遠の自分」あるいは「解放された自分」です。

瞑想熟練者の脳活動をｆＭＲＩという手法で見てみると、帯状回の後部が静まっているのがわかります。この部分は、「物語の自分」を感じていることに関与している部位で、ここが静まると、自己同化が消えていく感覚になります。そして大きなものとの一体感を覚えるのです。

自己同化というのは、「自分は〜である」のような「物語の自分」を自分と同一視してしまうことです。

図表28では、単に呼吸に意識を向けている「瞑想熟練者」と呼吸およびそのときに感じている気分にも意識を向けている「瞑想熟練者」の場合が比較されています。同じ瞑想熟

【図表28　瞑想時の神経活動の違い】

自己へのとらわれが静まった脳

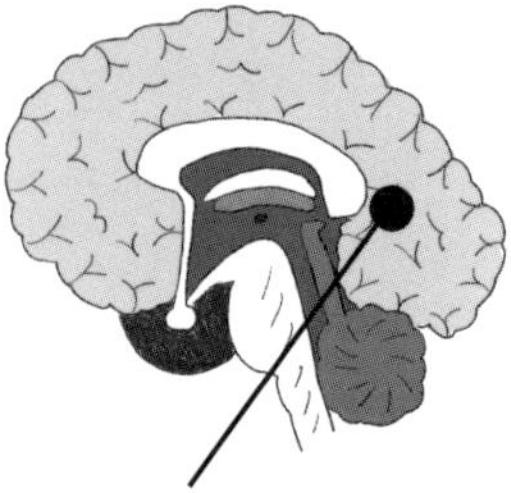

	A 瞑想初心者	B 瞑想熟練者	C 瞑想熟練者
後帯状皮質の神経活動	高い	低下	さらに低下

A：呼吸に注意を払うよう指示された瞑想初心者
B：呼吸に注意を払うよう指示された瞑想熟練者
C：呼吸および呼吸に関連する気持ちにも
　注意を払うよう指示された瞑想熟練者

瞑想時間は3分間

『あなたの脳は変えられる』
ジャドソン・ブルワー著　久賀谷亮監訳　岩坂彰訳
ダイヤモンド社より編集して抜粋

練者でも、後者のほうが深い瞑想になっていることがわかります。

その理由についてははっきりしていませんが、呼吸への集中に伴う心の状態、すなわち呼吸に関連した「今・ここ」の体験にも意識を向けていると、物語の自分がますます弱くなり、瞑想が深まっていくことを筆者も経験しています。

私自身、瞑想していると明らかに脳の状態が変わることが自覚できます。この状態にはいると、とても心地よく、宇宙の溶け込んだ気持ちになり、しかも覚醒しているのです。

瞑想時の脳

お坊さんの唱える「般若心経」の響きや、あるいは、他のお経でも、その響きを聴いたり、あるいは一緒に唱えたりしていると、この境地になっていくのを体験したことはないでしょうか？

マントラも熟練してくると、先ほど述べた瞑想熟練者と同じ境地になります。また、自分と他を区別する脳部位として脳頭頂部の角回という部位がありますが、この部位が瞑想によって鎮まることがわかっています。

深い瞑想によって宇宙に溶けていく感覚になるのは、頭頂葉が静まるからと考えられます。脳がそのような状態になると、エネルギーが充満しているような感覚や一体感を感じ、とても心地よく、頭がリセットされた感じになります。

この変性意識状態で、例えば、「死」を言葉として意識しても、怖いとか不安とかいう感情が全くでてきません。それは、脳科学的にも納得のいくことです。

つまり、この状態だと、恐れや不安を感じる扁桃体の反応性が弱まっているからです。そして、心を完全に宇宙に委ねると、オキシトシンが産生されます。オキシトシンは快感に関与するオピオイド（エンドルフィン）の分泌を促し、とても心地良いのです。脳科学的にはこのような解釈が考えられます。

このような境地を、仏教では涅槃と呼んでいます。私はこの脳の状態を「至福」と呼んで、いわゆる「幸福」と区別しています。なぜなら、私の前著（『生きるスキルに役立つ脳科学　セルバ出版』）でも書きましたが、幸福は、「安心」（セロトニン）「わくわく」（ドパミン）「つながり」（オキシトシン）を担う脳内ホルモンと関連していますが、ここでいう「至福」は「絶対的な解放感」や「宇宙とのつながり感」の感覚で、エンドロフィン（生体内にある鎮痛物質。多幸感や陶酔感と関連している）などのオピオイドと関連し、このエンドロフィンは神経活動を鎮める作用があり、脳活動が静まっています。

お釈迦様は、修行の末、この脳の状態になり、般若の智慧と呼んだと私は思っております。実際、この脳の視点から物事や出来事を見ると、脳の活性部位が通常とは異なるため、物事を通常とは全く異なる平和な静かな視点で捉えられるようになります。

瞑想が熟練してくると、θ波（1秒間に5回くらいの振動数：5Ｈｚ）やγ波（40Ｈｚ）の脳波が出ることがわかっています。日常的には、β波（14Ｈｚ～38Ｈｚ）ですが、これは神経回路が色々解決策を模索しているような状態で揺らぎが多く、迷いのある脳波と考えられます。

一方、リラックスしてくると、α波（8Ｈｚ～14Ｈｚ）になります。さらにリラックスしていると、θ波が出てきます。このようなθ波の脳では、安心・安全の境地になり、β波の脳の揺らぎが少なくなり、すなわち迷いが少なくなっているのではないかと思います。

興味深いことに、この瞑想時に、同時に最速の振動数γ波が時々出るのです。このγ波は神経細胞同士の結びつきがやわらかくなり、つなぎ直しが起こると言われており、洞察を得たときに出る脳波であると考えられています。

脳波から見ても、瞑想は迷いのない「安心・安全」の境地であるとともに、新しい見方、洞察が起こる脳の状態と言えます。

私も瞑想していると、恐れ・不安という感覚が全くなくなります。これは脳波からだけでなく、恐れ・不安を感じる扁桃体が静まっていることを示す脳画像の結果からも、納得できるものです。日頃から、このような瞑想脳の状態にすぐになれるようになると、恐れ・不安の少ない生活になっていきます。

真言は、この瞑想脳にする効果に加え、瞑想脳に導く「アンカリング効果」や「願いが叶う」あるいは「魔除け」的な面で効果的となる「プラセボー効果」があります。「プラセボー効果」については、詳細をコラムに書きましたのでお読みください。

アンカリングとは、2つの異なる神経回路を同時発火(活性化)させることを繰り返すと、どちらか一方を発火せるだけで、もう1つの神経回路も発火するという原理を使い、おまじないのような合図を使って、自分の脳を望む状態にする方法です。

例えば、イチロー選手がホームに立ったとき、バットで前に突き指すポーズをすると、自分をある心理的状態に最高のパフォーマンスを引き出すためのアンカリングです。真言と脳の静かな瞑想状態とがアンカリングしていると、日常生活で、何か困難なことが起きたとき、真言を唱えるだけで、恐れ・不安のない脳の状態にもっていくことが可能となります。

般若心経では、「すべて実態がないという空」を頭の理解に加えて、最後に涅槃を体感するための真言の重要性を説いています。

2　涅槃と悟り

脳科学で涅槃を考える

さて、脳科学などの進歩から、昔は、長い時間を要した瞑想の境地も、現代は、やり方が科学的に納得できる方法で、すぐに誰でもが実感できるようになってきました。

涅槃寂静は、煩悩が消えて静かな安らぎの境地に至ることです。これまで、修行を必要としていた涅槃の境地は、今や割と容易に誰でも到達できるようになってきたと思います。極端な言い方をすれば、覚醒剤や麻薬でも同じように涅槃に近い変性意識状態になることは可能なのです。しかし、これら薬物は、依存症が強くなり、また身体が壊れていきますので、絶対に使用してはならないのです。

涅槃は、一般的な意味では、煩悩が消滅し、苦しみを離れた安らぎの境地を指していて、いわゆる「悟り」とは異なります。苦しみを解除したければ、脳科学的に言えば、扁桃体を鎮めればよく、瞑想でこれが得られるのです。

しかし、悟りは「菩提」を意味し、「菩提」は理性的、理論的にわかるということです（図表29）。仏教の「悟り」は、諸法無我（私という存在はない）、諸行無常（物事は変化していく）を理知的にわかることです。「悟り」と「涅槃」を達成することを「解脱」と言います。

涅槃の境地には、現代、マインドフルネス瞑想をはじめ、色々な瞑想法やスキルがあり、般若心経のマントラも、涅槃へ導く1つの方法です。

般若心経では、最後のこのパートで涅槃に至るための真言を伝授し、それ以外の前半部で、悟りのために「諸法無我」、「諸行無常」を知性で説いている部分ともいえます。

3章で、私たちは、出来事をあるがままでなく、自分の色眼鏡に紐づいて体験していると言いましたが、悟りや解脱すると、日々の日常的な出来事を、瞑想で体感している「永遠」「慈愛」の感覚に紐づいて体験しているのではないかと思います。

真言に神秘的な力があるのか

読者の皆さんの中には、真言そのものに、確かに神秘的な効力があるといわれる方がいるかもしれませんが、現在のところ、科学的な説明はできません。この点については、3

【図表 29　般若心経・悟り・涅槃】

(a) 般若心経の構成

般若心経の前半（最後のマントラの前まで）

諸法無我
諸行無常
を理知を使って説いている

最後の般若心経のマントラ

涅槃寂静のためのマントラ
という方法を伝えている

(b) 悟り、涅槃、解脱について

＊悟り＝真理（法）に目覚めること＝菩提

「理論的・理性的」
真理を追究して無明を脱する

悟り（菩提）を得る

↓

解脱

（あらゆる苦しみから
解放された平安の境地）

↑

涅槃に入る

＊涅槃＝煩悩の火を消す、
　または吹き消された状態の意味

「感情的・情緒的」
自分自身を制御して煩悩を滅する

項とコラムでもう少し詳細を述べたいと思います。

実際、超能力者と呼ばれている方が、私が持参したスプーンを力を使わずに「曲げる」「ちぎる」ことをやられたのを観ましたので、何か未知の能力のようなものはあるのではないかと思っております。

2〜3章で述べましたが、生物は、私たちと同じこの世に住んでいますが、生物によって知覚できる器官が異なり、我々とは全く異なる世界に住んでいます。そして、私たちの知覚能力は、環境に適応するために備わった極めて限られたものです。

素粒子は11次元の世界だと言われても、想像できません。この世は、すでに知っている「既知のもの」と、今は知らないけれど体験すれば知覚できる「未知のもの」、そして我々の知覚能力では決して知ることができない「不可知のもの」とからなっていると考えてよいと思います。真言には、不可知の何か力があることを完全に否定しません。

しかし、少なくとも、現在の脳科学で理解できる、脳を涅槃（扁桃体の反応を鎮め、不安を和らげる。変性意識状態）に導くことと、それを引き出すための「アンカーリング効果」、そして「願いを叶える」、あるいは「不安を取り除く」ことに役立つ「プラセボー効果」（コラム参照）として十分効力を発揮するものです。

３　生物の進化と意識の進化

進化の４つの段階

ここで悟り・涅槃の境地と関連して、人間の意識がどのように進化してきたかについてお話したいと思います。

テイヤール・ド・シャルダン（フランス人キリスト教司祭であり、古生物学者、哲学者、１８８１〜１９５５年）という方が、生物学的知識を基盤に、無生物から人類にいたる進化を４つの段階に分けています。

すなわち①鉱物圏、②生物圏、③精神圏、④キリスト圏です。

これを意識と関連して説明すると、次のようになります。

①鉱物圏：眠りの世界（無意識の世界）

②生物圏：夢の世界

これは、生存と繁殖に有利となるように、世界にバイアスをかけて、物事を見ている世界という意味です。

③精神圏：目醒め、気づきの世界。メタ認知の世界。自分の思い込み、バイアスや色眼鏡に気づいた世界

④キリスト圏：自己のない「永遠の自分」、ここでは空、あるいは無限の意識、仏教では悟り・涅槃、ヨガでは解脱

テイヤール・ド・シャルダンは④をオメガ点と呼び、進化はオメガ点を目指しているというのが彼の説です。オメガ点は宇宙的なキリストの世界であり、人間とすべての生物を含む宇宙の全体は、意識のオメガ点の実現において完成され、救済されるといっています。

自己同化していない意識、無限の意識――これは「物語の自分」が消え、宇宙と同化した意識、般若心経の智慧がこれに相当していると私は考えています。

インドの瞑想家、和尚ラジニーシは、彼の講話「般若心経」の中で、この4つの進化と般若心経の真言「羯諦羯諦　波羅羯諦　波羅僧羯諦　菩提薩婆訶　般若心経」を次のような意味に結びつけています（羯諦は「往けり」という意味）。

＊羯諦：ギャーテー（鉱物圏（無意識）を超えなさい）

＊羯諦：ギャーテー（生物圏（夢）を超えなさい）

＊波羅羯諦：ハラギャーテー（超えて往けりの意味。精神圏を超えなさい。気づきで、思

考、エゴから自由になりなさい)

＊波羅僧羯諦：ハラソーギャーテー（すべてを超えて往けりの意味。空の世界、無限の意識に到達しなさい)

※菩提薩婆訶：ボディースヴァハー（スヴァハーは究極のエクスタシーの表現。なんという目醒めよ)。

※般若心経：最後の世界が、般若心経の智慧である。

私たちは生存・繁殖に有利という適応を通して、意識がより拡大するように進化していき、最後は「永遠の自分」あるいは宇宙を感じるようになっていくようです。

深い瞑想状態は時空を超える

さて、第1章で、時空のない素粒子の世界についてお話しました。深い瞑想では、すでに述べましたように、空間認識に関する頭頂葉部位や「物語の自分」や時間感覚にも関係している後部帯状回の神経活動が静まっています。

この事実からも、深い瞑想状態では、時空のない意識になっていることは推測できるし、また筆者の体験としてもそのような感覚です。この脳の状態は、時空のない素粒子の世界と共鳴しているのか、あるいは素粒子の世界にアクセスしているのか、あるいは素粒子の世界とは無関係な単なる脳の状態なのか、興味深いところです。

科学者の中には、我々の意識は、このような宇宙フィールドにアクセスできるという方もいます。現在、証拠はありませんが、よく知られている時空を超えて起きるシンクロニシティーや虫の知らせなどの体験を考えると、我々の意識は、特に深い瞑想によって、このような時空のない宇宙フィールドに、アクセス可能なのかもしれません（コラム参照）。

4　私たちは本来自由で至福に満ちた存在

私たちにはないもので悩んでいる

さて、瞑想家、和尚ラジニーシの弟子が、自分を救ってくれた和尚に感謝したいと言ったとき、和尚は即答しました。

「私は感謝されることは何もしていない。何故なら、あなたから、もともとない物（妄想。人は妄想で悩む）をあなたから取り去り、あなたがもともと持っていたものに気づかせただけなので、私は何もしていない。あなたは、もともと自由だ。あなたは至福だ」

私たちにはないもので悩み、自分がすでに手にしているあるものに気づかず、ないものに意識が向き不満を感じます。

また、こんな禅問答の話もあります。ある朝、弟子が和尚に質問しました。

「死んだらどうなりますか？　天国に行くのですか？　地獄に行くのですか？」

和尚は答えました。

「おい朝飯冷えるぞ」

つまり、先のわからないことを考えずに、今・ここをしっかり、味わいなさいという和尚の教えだったのです。

私たちは過去や未来の妄想でつくりあげた物語を手放すと、とても解放感があり、また至福感が訪れてきます。

その意味で、「私たちは、本来、自由で至福の存在なのです」。脳は、「安心・安全」を感じた状態でないと迷いが起きます。絶対的な安心・安全の境地になると、脳波的にも迷いがなくなり、自分の外の世界に対する反応が「逃げる・戦う・凍る」ではなく（3章のコラム：ポリヴェーガル理論を参照）、すべてが遊び感覚になっていくのではないでしょうか。

般若心経の最後のマントラや瞑想は、私たちに「安心・安全」を体感として伝えてくれます。

【5章まとめ　鎖から解放された象】

自分を縛っていた鎖から解放され、
自由になった象

コラム　プラセボー効果

呪文を唱えると、不思議な効力があることが言われています。般若心経の真言もそのように思われている方もいるかと思います。

薬では「偽薬」というのが知られています。それは、薬の成分は含まれてないのですが、「これは薬ですよ」と言ってみると、実際にある程度、効力を発揮します。

これは偽薬（プラセボー）効果といわれます。また、逆に「これは毒ですよ」というと、逆に悪化することが知られています。こちらの方はノセボと呼ばれています。

偽薬がなぜ効くのかも科学で大分わかってきました。偽薬は、高価であればあるほど、よく効くという研究結果はイグノーベル賞をとりました。期待が多ければ、効き方もいいのです。

偽薬の場合は、脳の中の報酬回路が関与していることが明らかになっています。報酬回路は動機づけの回路で、期待していることが起こりそうだと思うと、ドパミンという脳内ホルモンが出て、快感を感じ、より意欲的になるという回路です。

興味深いことに、このドパミン量には個体差があり、ドパミンが少ない人はあまり期待しない人で、すごく期待する人はドパミン量が多いのです。鎮痛薬で、偽薬の試験をすると、ドパミンの少ない人ほど、偽薬の効果が少なかったのです。

つまり、期待を持てる人ほど、よく効いたのです。また、この報酬回路の活性化と身体の中の鎮痛物質であるオピオイドの量とが一致したのです。ドパミンが多いほど、鎮痛物質のオピオイドが産生されたのです。偽薬は、信じれば信じるほどよく効くのです。

科学的に考えると、呪文もそれに効力があるのではなく、それに効力があると信じることで効力を発揮していると思われます。呪文を唱えれば、成功すると信じれば、成功者として振る舞うことになり、成功確率が高まります。

物事を実現する上で、そうなったかのように振る舞うことがとても大切です。なぜなら成功したイメージがあると、それに関連した情報を選択的に脳がキャッチする仕組みがあるからです。

また、不安を抱えている場合は、呪文がそれを取り除いてくれます。もともと不安は頭の中にある妄想ですので、呪文を唱えれば、その不安が起きないと信じれば安心により、頭の中の妄想は取り除かれるのです。

コラム　空・瞑想の世界と素粒子の世界―ホログラフィックモデルから考える―

量子物理学者ボームは、素粒子の不可解な動き、粒子性と波動性を説明するために、「ホログラフィー宇宙モデル」を考えました。

物体にレーザー光を当て、その物体からの反射光と元のレーザー光を重なり合わせると、池の波紋と同じように「干渉縞」ができます。それをフィルムに記録する（これをホログラフと呼びます）とフィルムには干渉縞しか記録されていないのですが、元のレーザー光だけを当てると、不思議なことに、元の立体像が再生されてきます。

しかも、このフィルムを半分に切っても、さらに切っても、レーザー光を当てると、完全に全体が再生されるのです。私たちの世界は、この空間には見えない干渉縞のようなものがあって、宇宙全体がホログラフィーのようなものではないかとボームはいっています。

例えば、空中の中に分布している電磁波は見えませんが、これがテレビ画像として再生されていきますが、これと同じで、ホログラフィーでは立体的に再生されます。

ホログラフィー宇宙モデルによると、私たちの世界は二重構造を取っていて、それは、「目に見える物質的な宇宙」を明在系（explicate order：エクスプリケート・オーダー）と、もう1つの目に見えない世界の宇宙」を暗在系（implicate order インプリケート・オーダー）とが存在しています（図表30）。私たちの世界である目に見える世界のすべての物質、精神、時間（過去、未来、現在）、空間は実は暗在系にたたみこまれて存在しているのです。

そして、私たちが実際にあると思っている世界（明在系）は、暗在系から、ホログラムに移しだされた錯覚のようなものだというわけです。

「般若心経の科学」（祥伝社黄金文庫）を書かれた天外伺朗（ペンネーム）氏は、この暗在系こそが「空」であるといっています。筆者もそう思います。1章で、鳴門の渦に例えましたが、海が「空」、すなわち時空のない暗在系で、そこから生じる渦が「色」すなわち明在系と思うのです。

さて、神経科学者カール・プリグラムは、脳内の記憶もホログラフィック的に行われているのではないかという仮説を提唱しています。

実際、記憶は局所的に保存されるのでなく、脳の広い範囲の記憶痕跡（エングラム）細胞が偏在し起きていることがわかってきて、脳の一部が破損しても記憶は残る場合が多く、その意味でホログラフと類似しています。

この仮説によると、私たちの脳というのは、時空間を超えた暗在系の世界から投影される波動を解釈し、客観的現実を構築しているホログラフィック的な宇宙に包み込まれた１つのホログラムであると考えられるのです。

出来事を異なる脳部位にある視覚、触覚、聴覚、味覚、嗅覚、快不快などで知覚し、それらを統合して体験し立体像を脳の中につくっています。瞑想を深めると神経活動が静まり、それら知覚から生みだされている時空がない世界を体験します。

推測ですが、深い瞑想状態は、暗在系の世界を体験あるいは疑似体験しているかもしれません。

実際、精神医学者のスタニスラフ・グロフが麻薬のＬＳＤにより起こる変性意識状態で経験する異常体験（前世の体験、親族の意識の体験、胎児の体験や他の生き物の体験）３０００を超える例を解析した結果、その異常体験は、その人自身とは異なる人や生物にあった実際の出来事であったことが明らかになりました。グロフは、変性意識状態の体験は、時空を超えたホログラフィック的な秩序の存在を示す証拠ではないかと考えたのです。

瞑想や般若心経のマントラを唱えることにより、変性意識状態になったとき、暗在系にアクセスし、時空を超えた奇跡と思えるような現象を起こす可能性があるのかもしれません。

【図表30　ホログラフィー宇宙モデル】

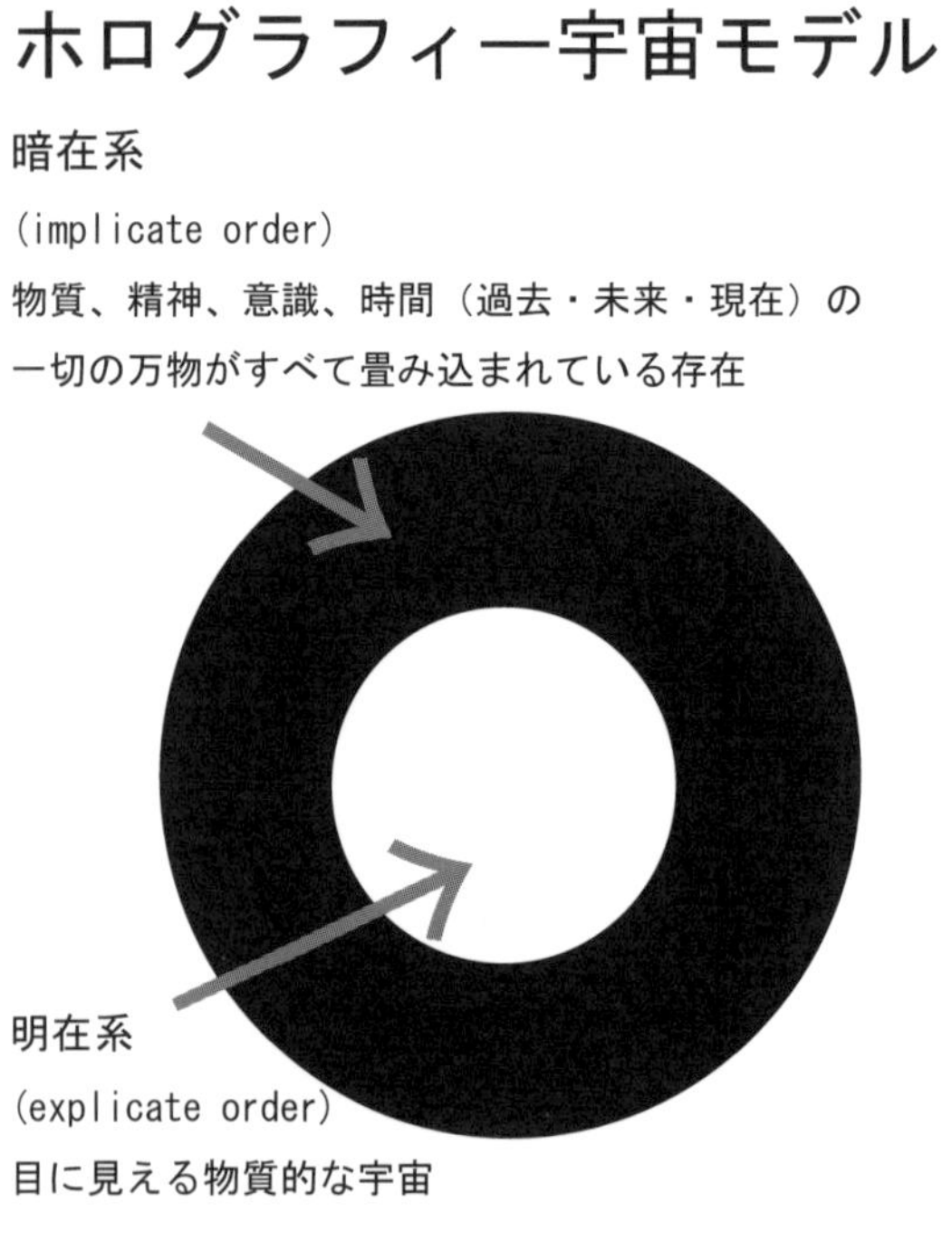

私たちがあると思っている世界（明在系）は、
暗在系から、ホログラムに移しだされた錯覚
のようなもの。
般若心経でいう「空」は、この暗在系に相当する。

第6章

みんなで出来事を変える時代
人のためが自分のためになる時代

自分勝手と人のため

般若心経は、大乗仏教の経典である般若経の1つで智慧の完成を目指したものですが、菩薩の修行法としての般若経には、智慧行の他に慈悲行があります。

お釈迦様は、あらゆるものを慈しみ、人々が幸福なることを目指す慈悲の心を説いています。ここでは、慈悲についても、あくまで脳科学的な視点からのお話をしたいと思います。

慈悲のうち、「慈」は、与楽の意味で、これは、人々に利益と安泰をもたらそうと望むこと、つまり他者の幸福を願うことを意味し、一方、「悲」のほうは、抜苦を意味し、人々から不利益を除去しようと欲すること、他者を不幸から救い出すことだそうです。

現代では、このような「他者を不幸から救う」のは職業的には、住職の方はもちろん、牧師さん、お医者さんや、カウンセリングやコーチングなどに携わっている方々が専門的にされていますが、これらの職業が全くなかったブッタの時代に、ブッタが修行として慈悲の心を説きました。

また、冒頭でも述べたとおり、般若心経は大乗仏教の経典の1つですが、大乗仏教は利他行により、人々の救済を目的としています。一方、上座仏教では自分ひとりの悟り（そのことが結果的に利他になるという考え）を求めるのに対して、大乗仏教では、本来、自己の悟りとは他者を救済する「利他」によってはじめて得られるものであるとし、このような方法で悟りを得ようとする人々を「菩薩」と呼んでいます。

ここでは、慈悲や利他の心が、なぜ私たちの心にあり、どうすれば育まれるか、脳科学、生物学、進化心理学の視点から考えてみたいと思います。

1　絆に関与するホルモン：オキシトシンとバソプレシン

オキシトシンの特徴

近年、人と人との絆に関与する分子がオキシトシンであることがわかってきました。オキシトシンは、生物の教科書では、出産のときに量が増え、子宮筋を収縮したり、お乳の分泌をよくしたりするホルモンとして知られていました。

このホルモンは、脳下垂体後葉から血液中に分泌され、男性にも存在しています。近年の遺伝子改変動物などの研究から、オキシトシンは仲間どうしの絆をつくるのに重要であることがわかってきました。

人と共感したり、ハグしたりするときに産生され、絆を深め、人の行動に対して寛容な気分にします。面白いことに、この場合、共感した側と、共感された側、どちらにもオキシトシンの分泌が上昇することが報告されており、どちら側も快感情が増していくのです。

オキシトシンの分泌は、このように、共感や人に親切にしたりするほかに、スキンシップやマッサージなどの身体への快刺激があると産生されます。ただし、オキシトシンがあれば、誰にでも仲良くなれるかというと、そういうわけでもありません。

好きな人にはより親切になりますが、嫌いな集団にはより敵意を強めてしまうのです。そして、ニュートラルな人にはより親切になります。自分の味方を守り、敵には敵意を強めるという働きがあるといわれています。

オキシトシンは環境に左右される

このオキシトシンの産生は世代をまたがって制御されています。自分の子どもにオキシトシンを出すよう関わると（愛情深く接する、スキンシップがある）、子どものオキシトシン量や受容体が高まります。

しかし、この逆の接し方をすると、オキシトシンやその受容体のレベルが低い子どもになり、そのような子どもは、攻撃的あるいは臆病になりやすくなるのです。その子どもが大きくなっても、やはりオキシトシンが少ないので、自分の子どもに対して愛情深く育てることができないのです。

よく、人間の本質は善か悪かという、性善説と性悪説がという議論があります。オキシトシンの生物学的働きから考えると、オキシトシンが出るよう愛情深く育てれば、人を信頼する性善説のような人間に育ちます。逆に、オキシトシンが不足しているよう育てれば、人に対して攻撃的になる性悪説のような人に育ってしまうのです。

これも生物学的には生存を守るために、進化の過程で適応した結果なのです。オキシトシンが少ない状況で育てられた環境は、周りに敵が多いという環境であることを意味し、その場合、生き延びるには、攻撃するか、外に出ないで引きこもるかが生存に有利になるわけです。

だから、このように育つことが生存の有利となったわけです。また、一方、オキシトシン不足で育ったネズミもオキシトシンいっぱいに育てられた愛情深いネズミに囲まれると、後天的にオキシトシンが多い愛情深いマウスに変化することもわかってきています。とても救われる研究結果です。

さて、このように私たちはオキシトシンを絆ホルモンとして、集団を形成し、それによって個の生存に有利になるように進化してきました。

つまり、オキシトシンは、仲間を守る作用があり、信頼や愛情の感情を生み、集団の中で利他的になるためのホルモンです。これがお釈迦様のいう慈悲の心に関与する分子と考えていいと思います。

バソプレシンの特徴

一方、オキシトシンと類似のホルモンとしてバソプレシンがあります。オキシトシンもバソプレシンも9個のアミノ酸よりなるホルモンですが、9個中2つのアミノ酸が異なるだけです。

バソプレシンは、抗利尿ホルモン（尿の産生を抑制する）として知られていましたが、最近では、ストレスホルモンであるコルチゾールの産生を促進します。また、個体や仲間を守る作用として、他の集団を排除する作用、それに関連して、不安、恐れ、攻撃性にも関与しているということが明らかになっています。

バソプレシンは、自分や仲間を敵から守る作用という意味で、どちらかというと利己的なことに関与しているのではないかといわれています。

2　環境適応として生まれた「自分勝手」（利己心）と「人のため」（利他心）
──共感・AWE体験・瞑想が利他心を育む

私たちは利多心と利己心を同時に持っている

私たちは1人ではなく、集団で厳しい自然環境を生き延びてきたために、集団の結束力を強固になるように、他人を支援したり支援されたりすると、どちらにもオキシトシンが産生されて快感となるよう仕組まれています。

つまり、他人を助けたいという気持ちや共感、いわゆる慈悲の心は進化心理学的にいえば、集団に貢献し、その結果、自分の身を守るために進化したと考えられます。利他的な行動は集団を通して、利己的な利益につながっているのです。

私たち生物は、生物学視点からは、ある環境に対して遺伝子を残すことに有利な集団が多数派になって生き残っていきます。例えば、昆虫のハチは、女王バチ1匹のために、働きバチがひたすら尽くすという利他的な行動をします。

しかし、これも集団から見れば、ハチの遺伝子を残すための戦略なわけです。利他的な行動は、集団を通して利己的な利益につながっています。一方、個としても敵から身を守り、他と競争して食べ物を獲得する必要がありますので、利己的な心も必要とされています。

だから、現在、私たちには、2つの心、利己心と利他心を同時に持っているのです。

例えばですが、他を攻撃し、自分の食べ物だけを優先するタカの集団がいたとします。一方、他のハトに食事を与える利他的なハトの集団がいたとします。ハトの中にタカがいるとすると、タカの数が少ないときは、ハトを攻撃し有利に繁殖しタカの数をふやしていくでしょう。

しかし、タカが大多数になったときは、逆にお互いを攻撃しあい生存が脅かされます。一方、タカがお互いに争っているとき、その間に、今度はお互いが助け合うハトが有利になり数を増していくでしょう。

地球を1つの生き物と考えたとき

今、人類は自分の心の中にどれだけ利己心と利他心があるのか、その比率はもちろん個人差がありますが、平均としては、これまでの長い人類の歴史の中で集団で生き残るために環境適応した結果として、安定になった比になっていると考えられます。

　現在、環境が急速に変化している時代になっています。皆さんの一生の間にどれだけ、環境が変化するでしょうか？　私の幼少の頃はスマホもなく、カラーテレビもありませんでした。それが今や、スマホや、カラーテレビは当たり前、さらにこれからもＡＩの進化、人口増加、地球温暖化など生活環境が著しく変わっていきます。

　人口の増加の速度は、これまでの人類史上なかった速さで進んでいます。また、生態系は崩れ、絶滅種が年々増え、人間中心の利己的な考えが、地球の生態系を壊す勢いにもなってきています。

　がん細胞は増殖速度が速く、私たちの他の正常組織を浸食して増殖していきます。その結果、私たちの身体が壊れて、死に至るわけですが、同時にがん細胞も死んでしまいます。

　地球を１つの生き物と考えると、私たち人間のやっていることは、がん細胞そのものではないでしょうか？　生態系を破壊し、海を化学物質で汚染し、魚が住めなくなり、私たちの食べ物がなくなっていきます。

　また地球を温暖化し、生物の住めない地球になれば、私たちも住めないのです。このことを考えると、私たちは今まで以上に地球の生態系を守るという利他的な心を持たないと、私たち自身の生存が危うくなっています。

これまでは同種の中での利他を考えれば、生存には有利に働いたのですが、これから異種の生物との共存、異種生物への利他が必要になってきています。

しかし、単に利他新や慈悲心が大事といわれても、生来持っている利己心と利他心の比率はなかなか変わることが難しいのです。

なぜなら私たちは、遺伝子レベルで変異を起こし、環境に適応できるようになるには長い時間（～万年）が必要です。しかも、その変異が生存に有利になるには、生活環境があまり変化がなく比較的安定したときの場合に起きます。

今日のように環境変化が目まぐるしく、遺伝子変異による環境適応が速度的に難しいならば、3章でも述べた後天的な変化（エピジェネティックス）をしていく必要があります。可能なのは意識変容です。

心理学や行動学などの研究から、人はある人に共感するようになると、その人に対して利他的な行動をするようになることがわかっています。

これはオキシトシンによるものでしょう。

人の世界観に対して共感を持ってあげると、利他心が生まれるのです。

自然に触れてＡＷＥ体験

話は少し変わりますが、私は岩手に住んでいます。毎朝、岩手山の美しい雄大な姿を見ると、癒されて自然への畏敬の念が湧いてきます。

おそらく岩手に住んでいる方の岩手山に対する思いは皆同じと思います。そして岩手山を見ると、この美しい自然を守りたい気持ちに触れることができます。自分より大きな存在に対して、畏敬の念を感じる体験はＡＷＥ（畏敬）体験と呼ばれます。ＡＷＥ体験をすると、視野がより広がり、何世代先の子孫のことを大事に感じられるようになるという報告があります。

私たちはＡＷＥ体験をすることによって、より視野が広がり、自然に対しても利他的な意識になっていきます。また、一方、般若心経の智慧あるいは瞑想も、私たちの意識が広がり、私＝あなた、私＝地球・宇宙の感覚になり、全体と自分とを統合した意識状態になるのを可能にします。そして、瞑想を深めると、実際に利他の心が強まることが明らかになっています。

今までの内容をまとめると、利他心を養うには、共感する力を養うこと、できるだけ自然に触れＡＷＥ体験をすること、そして瞑想することが役立ちます。

その意味でも、般若心経の智慧や瞑想が現代の私たちにとても大切になっていると思います。

3　人のためが自分のためになる時代

協同が個人の能力をはるかに超える

現代は集団で物事に対応する時代になってきました。科学の分野でも、昔は個人での発見が大きく貢献しましたが、今ではチームとして異なる技術や専門性のある方との共同研究が多くの新しい発見をもたらしています。

協力による結果が個人の能力をはるかに超えるのです。狩猟採集時代だったら、獲物を取るのに、どれだけ遠くに矢を飛ばせるか重要だったかもしれません。昭和時代くらいまでは個々の能力を磨くことがとても重要でした。

今では、そんなことよりも、協力してどこに獲物がいて、どういう戦略をとるか、それぞれの強みを生かした協力のほうが重要になってきています。1人のスーパーマンの能力より、協力しあった集団の能力のほうがはるかに質的にも上回ってきています。

それは個人の人生でも、何かを達成しようとするとき、1人の力というより、他の人と援助しあうことが、質的にもいい物が達成できる時代になっているように思います。

例えば、自分が不得手と思うところが他人に助けてもらうほうがいいのです。そのような意味で、相手を支援することにより、逆に自分の能力も上がり、信頼も上がり、その結果、人からも支援を受け、自分が欲する目標をみんなで早く達成できる、しかも予想以上のものが達成することが可能になってきました。

今の時代、願いを叶える効果的な方法は、人を支援することです。

ギバーとテイカーの実験

こんな調査があります。ギバー（与える人）、テイカー（奪う人、自分本位の人）のうち、誰が一番の成功者になるかを調査したところ、面白い結果がでました。

一番は、ギバーですが、一番損をする人も与えてばかりいるギバーだったそうです。

ただ与えるだけでは、物質レベルでは損をします。一番は、自分も相手も利益を得るようなウィン・ウィンのギバー（相手にも自分にも与えるギバー）ということです。

しかし、面白いことに、テイカーよりも損をしたギバーも、実は長い時間で見ると、多くの信頼を得て、そのことにより支援を得、異なる意味で成功者に代わっていくそうです。ただその場合も条件があります。その条件は与えることが喜びである場合です。そうでなければギバーが長続きしないからです。与えることが喜びであれば、脳からドパミンが産生され報酬回路が活性化し、「与える」ということだけで十分報酬を得ているのです。

集団で厳しい集団で厳しい自然を生き抜いてきた私たちの脳は、集団の力を強めるよう、人に与えて貢献することでオキシトシンが産生され、それが気分を安定にするセロトニンや意欲のもととなるドパミンの産生を促します。私たちは、人に貢献することが喜びとなるよう遺伝的に組み込まれているのです。

昔のお釈迦様の時代は、個人の苦悩からの解放が主なテーマだったと思われます。現在、日本と同じ水準の生活を世界中の人がしたら、地球が4つ、アメリカ人と同じ生活をしたら8個の地球が必要といわれています。

このままの私たちの生活を続けたら、地球の生態系そのものの存続に不安を感じる時代となっています。

今の時代、個人の苦悩からの解放だけでなく、人と地球の生態系にもギバーとなる菩薩行が、私たちのためになる時代となってきています。

第7章　仏教が生まれた時代にない新たな課題
苦しみ・不安は私たちへのギフト（贈り物）

1　苦しみからの解放について

瞑想で痛覚の神経活動が低下する

最後に、今の時代背景を踏まえ、般若心経の智慧について改めて考えてみたいと思います。

織田信長の時代に、信長が恵林寺を焼き討ちにしたとき、住僧の快川（かいせん）が「心頭を滅却すれば火もまた涼し」という言葉を残して、焼死したといわれています。

無念無想の境地にあれば、どんな苦痛も感じないということです。また、瞑想者の中には、自分の瞑想が深いことを示すために、身体に針を刺しても平気なことを見せている方がいました。

私からすると、瞑想が深まると、脳が鎮静化しており、脳の中にある苦しみを感じる扁桃体や肉体の痛みを感じる知覚野の神経活動が低下しているから、痛みを感じられないということと理解することができます。

つまり、実際に起きていることは、原理的に麻酔薬の効果と変わりません。お釈迦様の生まれた時代や般若心経が書かれた時代、仏教の目的の1つは苦しみからの救済でした。たしかに真言や瞑想で涅槃に至れば、苦しみからは救われます。しかし、重要なことは、快川住僧が心頭を滅却することにより、熱さは感じなかったけれども、焼け死んだということです。

2　身を守るためのシグナル

苦しみ・不安・恐れも大切

般若心経の智慧により、私たちは本来自由で至福に満ちていると実感しても、やはり苦しみや不安は訪れます。なぜなら私たちは生命が誕生して以来、35億年間いくたの生命の危機を乗り越え、進化してきた生物の末裔だからです。

苦しみや不安は、身を守るためのとても大切なシグナルとして、私たちに備わっているものです。もし本当に常に心頭を滅却して不安、恐れを感じなくなったら、人類がどうなるかを考えてみましょう。

私たちの「苦しみ」「不安」「恐れ」のような否定的な感情というものは、これまで散々お話してきたように、長い生物の環境適応の歴史の中で生まれた生存戦略なのです。

決して安全とは言えない危険な自然環境に住んでいた私たちにとって、その生存戦略は、危険な未来を予測するほうが、安全で楽しい未来を予測するより有利だったのです。

それは、例えば、10個身にふりかかるかもしれない危険な未来を考えて、危険を回避できるよう備えておけば、実際に命を奪う危険なことが1個だけしか起きなかったとしても、十分に命を守れるのです。

人類の歴史の大半が、環境は常に危険でした。そのようなとき自分には安全なことしか起きないだろうと考える人は、いつか命を落とす確率が、常に危険を予測する人よりも高いわけです。

進化心理学的視点からすると、これが私たちが物事に対して、ネガティブな思考のほうがポジティブな思考よりも多い理由と考えられています。ネガティブな予測が私たちの身を守ってきたのです。

なぜ私たちにはネガティブな予測が多いのかは、いかに私たちが、これまで周りが危険だった時代を経てきたかをよく示しているのです。だから、苦しみ・不安・恐れの感情は、身を守る上で、大切なシグナルであり、重要なのです。

3　人類の生き残りの確率を高める

最悪のシナリオを考えて対策する

さて、現在の地球は、環境汚染や地球温暖化が進んでいるため、このままでは2100年には3℃平均気温が上がるといわれています。4〜5℃温度が上がると、地球全体が生命の住めなくなる星になるという研究者がいます。お釈迦様の言っていた八正道を人類が守らなかったせいでしょうか。これまでの人類の行動の結果でしょうか。

これまでの地球環境が終焉し、これから温暖化進んでいく時代に入り、生態系の危機に直面しつつあります。もちろん温暖化なんて起きていないという学者もいます。そちらの学者が正しかったとしても、これまで人類の歴史を振り返ったとき、私たちは最悪のシナリオを考えて、様々な手を打っていくほうが人類の生き残りの確率が高くなるのです。

私たちは、すべてが空であり、諸行無常、諸法無我、涅槃寂静だといって、脳の中にある不安・恐れを感知する扁桃体のアンテナを鎮め、地球が危機に瀕したときでも、ひたすら自分の静寂の中にいたら、私たち人類は滅びることになります。

それは、先ほど述べた、身に起こっている火事にも関わらず「心頭を滅却すれば火もまた涼し」と言っても、対処しなければ焼け死ぬことと同じです（快川の場合とは事情が異なっています。快川の場合は逃げることが不可能だったのです）。

生態系を壊す人類は地球に迷惑であるという視点に立てば、それも1つの人類のあり方かもしれません。

しかし、もし生命が誕生して以来30数億年、つないできた命のたすきを次につなげ大事に育んでいく心があるならば、次の視点がそれを可能にするのではないかと思います。

4　痛みはギフト

痛みは私たちが進化するきっかけとなる

般若心経では、すべて空であると理知的に気づき、真言で涅槃の境地に達することにより、「私たちは、本来自由と至福に満ちた存在である」ということを説いていると思います。

そして、その境地をベースに、不安や恐れに耳を傾け、今ある不幸や痛みに対して積極的に乗り越える行動を取っていくことが重要かと思います。悟りにより、不安、恐れがなくなるのでなく、それに対する姿勢が変わるのです。

3章のコラムで述べたポリヴェーガル理論によれば、人は、「安心・安全」がベースにあると、「逃げる・戦う・固まる」に働いた交感神経が「遊ぶ」「創造する」に変化していくことが、神経生物学的に理解されています。

真言や瞑想で達した寂静の境地、安心・安全の境地がベースにあると、不安、恐れにより、これまでの逃げや戦いという反応ではなく、協力や積極的で創造的に解決をしていく反応を可能にしてくれます。

これが次の進化をもたらすのではないでしょうか。私たちは、出来事を「苦しみ」や「不安」というものと紐づけて体験することもできるし、同じ出来事を「永遠」「慈愛」と紐づいた視点から体験をすることもできます。

般若心経は、後者を可能にする智慧と私は解釈しています。今、地球環境はとても生態系にとって危ない時代となりつつあります。そして、社会的にも、大量消費・大量破棄、人口増加、格差社会と多くの問題を迎えている時代です。

ここが、仏教が生まれた時代的背景とは大きく異なっている点です。人類がここまで進化してきたのは、不安、恐れを克服して、新しい資質を獲得してきたからです。ある著名な仏教学者がいいました。

「痛みはギフトです。『痛み』『不安』は、私たちに何かを気づかせ、進化させるためのギフトです」

私たちの脳は不安や恐れを感じると「逃げる・戦う・固まる」という自動反応を起こす神経回路が活発になります。これは長い間、人類を厳しい自然から守ってきた生き残り仕様の脳です。

しかし、私たちにはもう1つの脳が備わっています。それは、危機がもたらす「痛み」「不安」「恐れ」をアラームシグナル（警報シグナル）として捉え、危機に対して、「つながり・共感・慈悲」の心をもたらす愛や創造性で対応していく共存・共栄仕様の脳です。ここの脳は、心に「安心・安全」の心がベースにあるときに発揮することが脳科学的にわかっています。

今、相変わらずのコロナ禍で、今までやってきたことが同じようにいかずに、多くの人々が、生活の不安を感じていると思います。

このような中で、私たちは、「本来自由と至福に満ちた存在である」という般若心経の智慧が体感として心のベースにあると、「痛み」「不安」「恐れ」をギフトとして捉え、新しい進化へのパワーが湧いてきます。

あとがき

脳科学の進歩により、お釈迦様の脳がどのようにできているのか、すなわち、心の平安や平常心、あるいは慈悲心の神経回路をどのようにすれば活性化するのかがわかってきました。般若心経には、そのことの原型が書かれているように思います。

ブッダ（お釈迦様）脳になるためには、知的理解（頭でわかる、大脳皮質でわかる）とともに行（体感）で、その神経回路が実際に活性化される必要があります。知的理解だけですと、大脳皮質だけの理解になり、動物脳（感じる）、爬虫類脳（生きる）と分離してしまい、日常生活では実践できません。

例えば、「人に親切することは、社会生活を送る上で大切なことです」といわれても、親切にすることで本当に気分がよくなることを体験している場合と、親切にして裏切られるなどの体験がある場合とで、実際の行動に差が出ます。このように体験が実践に大きく影響します。一方、体験があるけれど、理解がないと、時には生存に関与する動物脳が優先して、怒りが爆発するなどコントロールができない状態になります。

考える脳を持った人間には、理知的にわかってやってみるトップダウンからの理解と身体の体感からくるボトムアップの理解が、十分な体得には必要です。

般若心経では、前半の大部分が知的に理解のために書かれ、最後の部分で真言による体感を説いています。その内容が、実に脳科学的な研究から得られた成果と一致している面が多々あったと私は感じています。

このように、現代、脳科学や科学と宗教やスピリチュアルなことが統合的に理解されることにより、私たちは、昔に比べ、容易に涅槃や悟りを得ることができるようになったと思います。現代では、厳しい修行もなく、たくさんのブッダ脳を持った人が生まれてくることが可能になった時代と思います。

それは、実は、今の時代には、より多くのお釈迦様のような、心の平安や慈悲の心を持った人がたくさん必要な時代になってきたということと連動しているようにも思えます。

私が書いているときは、世界規模で新型コロナパンデミックが起きています。また、人種差別問題に対する暴動、カルフォルニアの大火災、巨大台風、猛暑と、お金儲けや経済成長ばかり目的としてきた人類の行動のつけが、地球規模で起きているように思います。

かつて宗教は、人々の救済が目的でした。宗教が生まれた時代と大きく異なるのは、現代は、地球規模で生態系の危機が来ているということだと思います。個人の救済もさることなから、地球規模の生態系の救済が必要な時期に来ています。

私たち日本人の現代の生活は、1日あたり約10万キロカロリー（水10リットルを0度から100度にするために必要なエネルギー）を消費しているといわれていて、そのほとんどが化石燃料から来ているそうです。

すなわち、私たちは、無意識に、地球温暖化に寄与していると思われるCO2を排出し、限りある化石燃料を好き放題使っている生活をしています。私たちは、無意識に、未来の人の幸福な生活を犠牲に、現在、便利な生活を享受しているという状態です。

また一方、生活もお釈迦様が生まれた時代とは大きく異なっています。私たちの遺伝子は、狩猟採集生活仕様で、その時代に適応したものがほとんどです。その頃は1日10数キロは歩いていたと見積もられています。

お釈迦様の時代は農耕時代で、やはり今とは生活環境が異なっています。交通に電車や車を使っている今に比べ、運動量は多かったでしょう。また、お釈迦様の時代と比べて、今は栄養過多あるいは栄養の偏りがあり、そして何より1日に私たちが受ける情報量は、その頃の何百年分くらいあるいはそれ以上あるのではないでしょうか。

明らかにこれら生活習慣は、脳機能に影響を与えることがわかっています。現代、これらの影響も考慮した、瞑想や悟り、あるいは慈悲心を養う術を考える必要があるのではないかと個人的には思っています。

般若心経は大乗仏教の経典の1つです。大乗仏教の信者の務めは、世の中の救済を目的とする菩薩になることです。そして、目標はお釈迦様になることで、大乗仏教では誰でもがお釈迦様になれると説いています。脳科学によるブッダ脳の理解がそれを可能にしていると思います。

環境問題、人種問題、経済問題など多くの問題が起きている現代では、人類が次の進化へと進む上で、菩薩が多く生まれてくることが必要な時代となっているように思います。科学と宗教やスピリチュアルな教えとが統合することにより、より多くの菩薩が生まれ、困難の多い現代をよりいい方向に向ける力となると信じています。

本書を終えるにあたり、出版の機会をつくってくださったセルバ出版、編集・イラストを担当してくださった皆様に深く感謝します。

また、本書は、般若心経を自分の専門分野である神経科学という科学者の視点に加え、ヨガ・瞑想体験、コーチング的視点から感じたものを書いたものです。

これまで自分の学びの中でお世話になった多くの先生・仲間に心より深く感謝します。

参考書籍

・仏教、般若心経関連

『図解ブッダの教え』田上太秀監修　株式会社西東社
『NHK「100分de名著ブックス　般若心経』佐々木閑（著）　NHK出版
『般若心経入門』松原泰道（著）　祥伝社新書
『史上最強図解般若心経入門』頼富本宏（編著）　下泉全曉・那須真裕美（著）　ナツメ社
『般若心経――バグワン・シュリ・ラジニーシ、色即是空を語る』バグワン・シュリ・ラジニーシ（著）　めるくまーる出版
『なぜ今、仏教なのか――瞑想・マインドフルネス・悟りの科学』ロバート・ライト（著）　熊谷淳子（訳）　早川書房
『般若心経の科学　改訂版』天外伺朗（著）　祥伝社黄金文庫

・量子物理学関連

『ニュートン別冊　無とは何か』ニュートンムック　ニュートンプレス
『ニュートン別冊　時間とは何か』ニュートンムック　ニュートンプレス

・感覚器関連

『図解感覚器の進化――原始動物からヒトへ水中から陸上』岩堀修明（著）　講談社
『数値で見る生物学――生物に関わる数のデータブック』R・フリント（著）浜本哲郎（訳）　シュプリンガー・ジャパン

・老化・生理学関連

『ＬＩＦＥ ＳＰＡＮ 老いなき世界』
デビッド・Ａ・シンクレア／マシュー・Ｄ・ラプラント（著） 梶山あゆみ（訳） 東洋経済新報社

『寿命遺伝子──なぜ老いるのか 何が長寿を導くのか』森望（著） 講談社

『ポリヴェーガル理論入門──心身に変革をおこす「安全」と「絆」』ステファン・Ｗ・ポージェス（著） 花丘ちぐさ（訳） 春秋社

『「ポリヴェーガル理論を読む」からだ・こころ・社会』津田真人（著） 星和書店

・脳科学関連

『脳は「ものの見方」で進化する』ボー・ロット（著） 桜田直美（訳） サンマーク出版

『徹底図解「脳のしくみ」──脳の解剖から心のしくみまで』新星出版社編集部 新星出版社

『生きるスキルに役立つ脳科学 生残り仕様から共存・現代仕様へ』駒野宏人（著） セルバ出版

『単純な脳、複雑な「私」──または、自分を使い回しながら進化した脳をめぐる4つの講義』池谷裕二（著） 講談社

『科学的に幸せになれる脳磨き』岩崎一郎（著） サンマーク出版

『21世紀の脳科学──人生を豊かにする3つの「脳力」』マシュー・リーバーマン（著） 江口泰子（訳） 講談社

・瞑想脳関連

『超越瞑想──存在の科学と生きる技術』

マハリシ・マヘーシュ・ヨーギー（著）　マハリシ総合教育研究所（訳）　マハリシ出版

『ブッダの脳　心と脳を変え人生を変える実践的瞑想の科学』

リック・ハンソン、リチャード・メンディウス（著）　菅晴彦（訳）　草思社

『最高の脳で働く方法　Your Brain at Work』

デイビッド・ロック（著）　矢島麻里子（訳）　ディスカヴァー・トゥエンティワン

『あなたの脳は変えられる──「やめられない！」の神経ループから抜け出す方法』

ジャドソン・ブルワー（著）　久賀谷亮（監訳）　岩坂彰（訳）　ダイヤモンド社

『生ける宇宙──科学による万物の一貫性の発見』アーヴィン・ラズロ（著）　吉田三知世（訳）　日本教文社

『フィールド　響きあう生命・意識・宇宙』リン・マクタガート（著）　野中浩一（訳）　インターシフト

『投影された宇宙──ホログラフィック・ユニヴァースへの招待』マイケル・タルボット（著）　川瀬勝　春秋社

・人類史関連

『サピエンス全史──文明の構造と人類の幸福　上』

ユヴァル・ノア・ハラリ（著）　柴田裕之（訳）　河出書房新社

『サピエンス全史──文明の構造と人類の幸福　下』

ユヴァル・ノア・ハラリ（著）　柴田裕之（訳）　河出書房新社

著者略歴

駒野　宏人（こまの　ひろと）

北海道大学大学院薬学研究院認知症先進予防・解析学分野客員教授
薬学博士
ブレインフィットネスコーチング主催
一般社団法人「人生 100 年生き方塾」代表理事
米国認定 CTI プロコーチ・米国 NLP 協会認定 NLP トレーナー
東京大学薬学部卒業後、同大学助手、米国スタンフォード大学・ミシガン大学医学部研究員、国立長寿医療研究センター室長、岩手医科大学薬学部神経科学分野教授を歴任。また、大学院の頃よりヨガを始め、現在、認定 NPO 法人日本 YOGA 連盟にインストラクター・アドバイザーとして所属。専門の神経科学・脳科学の研究・教育活動以外に、生きがいや意欲を引き出すコーチングやヨガ・瞑想指導も行っている。

著書・作品
『生きるスキルに役立つ脳科学』（セルバ出版）
『ケリー・マクゴニガルの痛みを癒すヨーガ』（ガイアブックス）ケリー・マクゴニガル著　日本語監修
CD 目醒め「体の中にクスリをつくる」監修（音楽　饗場公三作：清音ミュージック）

脳科学から紐解く般若心経 —自由と至福の脳科学

2021年 12 月24日　初版発行

著　者　駒野　宏人 © Hiroto Komano
発行人　森　　忠順
発行所　株式会社 セルバ出版
〒 113-0034
東京都文京区湯島 1 丁目 12 番 6 号 高関ビル 5 B
☎ 03（5812）1178　FAX 03（5812）1188
http://www.seluba.co.jp/
発　売　株式会社 三省堂書店／創英社
〒 101-0051
東京都千代田区神田神保町 1 丁目 1 番地
☎ 03（3291）2295　FAX 03（3292）7687

印刷・製本　株式会社丸井工文社

Printed in JAPAN
ISBN978-4-86367-721-0